Syniad Da
Y bobl, y busnes – a byw breuddwyd

Y LLINYN AUR
Canolfan Aur Rhiannon 1971-2010

Argraffiad cyntaf: Tachwedd 2010

ⓗ Gwasg Carreg Gwalch

Rhif rhyngwladol: 978-1-84527-298-2

Mae'r cyhoeddwr yn cydnabod cefnogaeth ariannol
Cyngor Llyfrau Cymru

Cynllun clawr: Sion Ilar

Cyhoeddwyd gan Wasg Carreg Gwalch,
12 Iard yr Orsaf, Llanrwst, Conwy, LL26 0EH.
Ffôn: 01492 642031 Ffacs: 01492 641502
e-bost: llyfrau@carreg-gwalch.com
lle ar y we: www.carreg-gwalch.com

Y Llinyn Aur

Rhiannon Evans

CANOLFAN AUR RHIANNON
1971-2010

Golygydd:
Lyn Ebenezer

'Nid bywyd yw Bioleg,
Mi af yn ôl i'r wlad'

R. Williams Parry

Canolfan Rhiannon a sefydlwyd yn 1972

Cyflwyniad

Cwmni teuluol yw Gemwaith Rhiannon lle mae llinyn arian (ac aur!) olyniaeth yn bwysig. Fe'i sefydlwyd yn Nhregaron yn 1971 gan Rhiannon Evans ac yn erbyn y ffactorau tyfodd i fod yn fusnes byd-eang.

Defnyddir y busnes yn aml fel enghraifft o fusnes Cymraeg cynhenid, llwyddiannus gyda'r staff i gyd yn siarad yr iaith, y weinyddiaeth fewnol i gyd yn Gymraeg a'r wefan a chatalog y cwmni, er yn rhyngwladol, i gyd yn ddwyieithog. Yn 2005 enillodd y wefan wobr Busnes y Flwyddyn, am yr eildro mewn pum mlynedd.

Saif Canolfan Rhiannon ar sgwâr Tregaron, wyneb yn wyneb â busnes arall a uniaethir â'r dref, gwesty'r Talbot. Rhwng y ddau le, saif delw'r Apostol Heddwch, Henry Richard.

Ond brwydr yn hytrach na heddwch sy'n nodweddu'r ymdrech i sefydlu a pharhau Canolfan Rhiannon. Pan lansiodd hi'r ganolfan grefftau ymron ddeugain mlynedd yn ôl, bu'n rhaid iddi wynebu amheuon ac wfftion – a hyd yn oed elyniaeth. Gosodwyd pob math ar rwystrau yn ei herbyn. Bu'n rhaid brwydro yn erbyn rhagfarn ac anwybodaeth, eiddigedd a gwrth-Gymreictod. Dros y blynyddoedd cynnar, rhyw fyw o'r llaw i'r genau fu hi. Ond diolch i ddyfalbarhâd a dycnwch a phenderfyniad Rhiannon i fyw'r freuddwyd, tyfodd y busnes yn un byd-eang.

Mae'r ganolfan erbyn heddiw'n cynnwys stafell arddangos gemwaith, gweithdai agored, siop grefftau, tair oriel a stafell te Cymreig. Rhan bwysig o'r adeilad yw Canolfan Aur Cymru.

Heddiw, yng nghanol y dirwasgiad gwaethaf ers ymron ganrif, mae'r busnes ar groesffordd. Sut mae wynebu'r dyfodol? Ai drwy fynd ymlaen yn yr un modd? Ai drwy ei

Y Ganolfan Grefftau ar Sgwâr Tregaron heddiw

agor yn fusnes cyhoeddus? Ai drwy ddenu arian o ffynonellau preifat? Cawn weld.

Lyn Ebenezer
Hydref 2010

Gwlad a Thref

Fe dreuliais i ddwy flynedd gyntaf fy mywyd yng Nghaerffili
cyn i'm rhieni symud i Gaerfyrddin. Yno fe gafodd fy nhad,
Jac L. Williams swydd yng Ngholeg y Drindod. Roedden
ni'n byw ym Mhlas Ystrad, neuadd myfyrwyr. I fi roedd e'n
lle delfrydol i fyw ynddo, hen blasty yng nghanol ei dir ei
hunan. Roedd ein cartref ni yn y rhan lle bu cegin y plasty. I
blentyn, roedd e'n lle llawn rhamant.

Roedd fy nhad yn benderfynol y cawn i addysg Gymraeg.
Ond doedd yna ddim Ysgol Gymraeg yng Nghaerfyrddin.
Felly dyma fe'n fy nanfon i Ysgol Llangain ychydig
filltiroedd i ffwrdd yng nghanol y wlad. Ysgol ddwy stafell
oedd hon heb ddim dŵr tap, a thai bach bwced yn y cefn.
Allan o'r deugain o blant oedd yno, fi oedd yr unig blentyn

Cartref delfrydol i blentyn – Plas Ystrad, Caerfyrddin

Yn blentyn yn Llanddewi Aberarth yn 1950

yn yr ysgol oedd yn medru siarad Saesneg.

Y cyfnod hwn fu'n gyfrifol am un o'r ddau ddylanwad a wnaeth i fi benderfynu mai yng nghefn gwlad y byddai fy nyfodol. Hynny, a dylanwad mam-gu a thad-cu. Ffermio oedd tad-cu a mam-gu – rhieni 'Nhad – yn Llanddewi Aberarth pan oeddwn i'n fach iawn. Fe wnaethon nhw ymddeol pan oeddwn i'n dair oed. Ond fe fyddwn i wrth fy modd yn galw yno. Ac fe fu'r ffarm yn ddylanwad mawr arna'i, er mai bychan oeddwn i ar y pryd.

Roedden nhw'n eglwyswyr pybyr. Yn wir, roedd yna nifer o ficeriaid yn ein teulu ni yn cynnwys tri o frodyr tad-cu. Felly, rhwng teulu Llanddewi Aberarth ac addysg yn Llangain roedd fy nyfodol i wedi ei benderfynu eisoes o ran byw yn y wlad.

Yn Llangain wnes i dderbyn fy addysg gynradd bron i gyd. Fe dreuliais i bum mlynedd yno cyn i ni symud fel teulu i Aberystwyth. Fe allech feddwl na fyddai yna unrhyw broblem yno o ran addysg Gymraeg. Roedd yno Ysgol Gymraeg ers 1939 pan sefydlwyd hi fel ysgol breifat i ddechrau gan Syr Ifan ab Owen Edwards. Ond fe fu symud yno o Ysgol Llangain yn sioc enbyd. Saesneg oedd iaith yr iard yn Aberystwyth. Fedrwn i ddim credu'r peth.

Yng Nghaerfyrddin roedd yna lawer yn medru siarad Cymraeg ond yn esgus na fedren nhw. Yn Aberystwyth roedd yna lawer mwy o Gymraeg. Ond roedd yna ryw deimlad mai dim ond twpsod y wlad oedd yn siarad Cymraeg. Hyn, dwi'n meddwl, wnaeth i fi benderfynu'n ifanc iawn y byddwn i, o gael plant, yn eu codi nhw'n Gymry Cymraeg naturiol yn y wlad. Mae'n anodd esbonio hynna i blant heddiw gan nad yw'r hen ddwli yna'n bodoli bellach.

Ond fe ges i sioc arall hefyd yn Ysgol Gymraeg Aberystwyth, sioc bleserus y tro hwn, o ganfod mor ffeind oedd yr athrawon. Yn Llangain chawn i ddim agor fy ngheg heb ganiatâd. Yr hen drefn o blentyn yn gorfod gwrando, yn hytrach na siarad, oedd yn bodoli yno. Yn wir, o'r diwrnod yr es i yno yn bedair oed, roeddwn i'n gorfod codi fy llaw cyn cael caniatâd i droi tudalen yn y gwersi darllen.

Roedd fy nhad wedi cael swydd fel darlithydd yn Aberystwyth, a chyn pen dim roedd e'n bennaeth adran. Wedyn fe olynodd Idwal Jones fel Pennaeth y Gyfadran Addysg ac erbyn iddo farw yn 1977 roedd e'n Is-brifathro'r Coleg.

Doedd dim cymaint â hynny o bobl busnes yn y teulu. Beirdd ac offeiriaid yng Ngheredigion oedd fy nghyndeidiau ar ochr fy nhad. Ond roedd yno rai. Roedd gan fy nhad gefnder oedd yn cadw siop yr Exchange yng Nghapel Bangor. Ac roedd yna ffermwyr, wrth gwrs. Ac fe fu tad fy mam, Thomas Watkins yn grydd. O ardal Talgarth oedd e'n dod yn wreiddiol ond mewn cyfnod o gyni fe wnaeth ef a'i frawd symud i Gaerffili a dechrau busnes crydd gan anelu'n bennaf at lunio a thrwsio sgidiau i'r glowyr. Roedd mam fy mam hefyd yn grefftwraig, yn wniadwraig. Ar un adeg roedd hi'n cyflogi pump o ferched. Roedd Mam yn athrawes pan oedd hi yng Nghaerffili ac yn ddi-Gymraeg. Mewn dosbarth dysgu Cymraeg y gwnaeth hi gwrdd â 'Nhad. Ef oedd â gofal y dosbarth.

O ran addysg uwchradd fe wnes i fynd i Ysgol Ardwyn. Yno, pan own i tua 12 oed y derbyniais i wersi celf am y tro cyntaf gan Hywel Harries, artist medrus iawn. Chefais i ddim gwersi celf o gwbl yn yr ysgol gynradd felly fe ddaeth hyn fel darganfyddiad newydd. Yn Ardwyn roedd tipyn o wasgfa academaidd. Fe fyddwn i wedi hoffi canolbwyntio ar gelf. Ond na. Dim ond twpsod oedd yn mynd i goleg celf. Dyna oedd yr agwedd ymhlith athrawon a rhieni fel ei gilydd. Bu'n rhaid i fi ddewis rhwng gwyddoniaeth a chelf. Gan fod gen i ddiddordeb mawr mewn bywydeg, fe wnes i ddewis gwyddoniaeth. A dyma fynd ymlaen i astudio ym Mangor gan ennill gradd mewn Swoleg. Roedd fy rhieni wrth eu bodd gan i fi wneud yn union fel oedden nhw am i fi wneud. Fe ddewisodd fy chwaer Mair astudio ym Mangor hefyd gan ennill gradd mewn Cymraeg a Ffrangeg ac yn ddiweddarach fe symudodd i Loegr lle mae hi wedi bod mewn gwaith gweinyddol drwy ei hoes.

Yn anffodus, bron iawn cyn i fi hyd yn oed orffen fy nghwrs gradd, fe wnes i ddiflasu ar wyddoniaeth. Rown i'n teimlo fod arbenigo mewn un maes yn cyfyngu gorwelion yn hytrach nag agor drysau i feysydd newydd. Roeddwn i'n gweld astudio gwyddoniaeth fel mynd lawr twnel. Rhyw gulhau oedd popeth tra bod fy niddordeb i mewn ehangder maes bywydeg a'r athroniaeth oedd ynghlwm wrtho.

Fe wnes i ennill gradd ddigon uchel ym Mangor i fynd ymlaen i wneud gwaith ymchwil. Fe wnes i wedyn wneud uwch radd gydag R. Elwyn Hughes yng Nghaerdydd. Ef oedd golygydd *Y Gwyddonydd* ar y pryd, ac yn y chweched dosbarth ro'n i wedi dod i'w adnabod trwy ennill gwobr *Y Gwyddonydd* yn 1964. Felly fe ges i gyfle i wneud PhD yn y Gymraeg. Petawn i ddim wedi gwneud y gwaith drwy'r Gymraeg fyddwn i byth wedi ei gwblhau.

Roedd hyn yn gryn her. Doedd neb erioed o'r blaen wedi gwneud gwyddoniaeth drwy'r Gymraeg yno. A'r her honno fu'n gyfrifol am i fi fagu digon o benderfyniad i'w orffen. Roedd e'n dair blynedd o waith ac yn dipyn o garreg filltir. Y bregeth fawr ar y pryd oedd y gellid gwneud pynciau iaith a hanes ac ati drwy'r Gymraeg, ond nid pynciau gwyddonol. Ond diolch i R. Elwyn Hughes ac ambell un arall fe dorrwyd y tabŵ.

Ond beth wnawn i nesaf? Dyma fi, wedi ennill gradd PhD a heb unrhyw gynlluniau. Feddyliais i ddim llai na wnâi e fy arwain at weithio mewn rhyw labordy ymchwil yng nghanol rhyw ddinas fawr. A dyna'r peth olaf yn y byd own i eisiau ei wneud. Bron yr unig ddewis arall fyddai cael swydd fel athrawes. Ond na, fel y dywedodd R. Williams Parry unwaith:

Nid bywyd yw Bioleg,
Mi af yn ôl i'r wlad.

Ac yn sydyn fe ddisgynnodd y darnau i'w lle. Dyma fi'n cyfarfod â Dafydd Gwyn Evans a dod yma i fyw i ardal Tregaron. Roedd hyn yn rhywbeth oedd wedi bod ar fy meddwl erioed. Rown i am fagu plant mewn bro Gymraeg. Roedd yna ddewis o ddwy fro – Gwynedd neu Geredigion. Ac roedd Tregaron, ynghyd â Chaernarfon ar y pryd ymhlith yr ardaloedd lle'r oedd y canran uchaf o siaradwyr Cymraeg, tua 90 y cant.

Roedd Dafydd ei hun yn ddyn busnes, ei rieni'n cadw'r Celtic Hotel ac yn rhedeg busnes bysus yn Llundain. Doeddwn i ddim wedi gwneud unrhyw benderfyniad pendant y byddwn i'n mynd i fusnes. Ond gyda Dafydd yno, ac yntau'n ddyn busnes, roedd gen i rywfaint o gymorth a chefnogaeth. Ac oddi wrtho ef, a'i fam yn arbennig y dysgais i elfennau busnes. Roedd hi wedi bod mewn busnes erioed yn rhedeg y gwesty yn Russell Square, a hynny mewn ffordd ddigon cyntefig heb unrhyw hyfforddiant mewn busnes o gwbl. Roedd rhieni Dafydd yn bartneriaeth berffaith. Ef oedd â'r syniadau ond hi oedd yn gwneud y gwaith caled.

Roedd Evan Evans yn ddyn arbennig iawn. Roedd ganddo fe weledigaeth a gallu rhyfeddol. Ac yn Gymro mawr. Fe aeth i Lundain yn llanc heb siarad gair o Saesneg. Fe fu'n Faer St Pancras am ddau gyfnod adeg y rhyfel ac fe fyddai'n ysgrifennu ei areithiau i gyd yn Gymraeg ac yna'u cyfieithu i'r Saesneg.

Fe wnaeth Dafydd a finne gyfarfod pan oedd ef yn dal yn gweithio mewn busnes yn Llundain a finne'n dal i weithio ar fy PhD. Yna fe wnaethon ni briodi yn 1972. Dyna pryd wnaeth e adael Llundain i sefydlu busnes yng nghefn gwlad. A'n busnes cyntaf oedd y siop, lle'r ydw i o hyd.

Pan benderfynodd Dafydd adael Llundain am gefn gwlad Ceredigion gosododd nod iddo'i hunan o dair blynedd i wireddu ei gynlluniau. Erbyn diwedd yr ail flwyddyn roedd e wedi sefydlu cwmni ATOM (Antur Trwy Orchest Marchnata). Yn ogystal â phrynu adeiladau yn Nhregaron prynodd hefyd chwarel yn y gogledd ar gyfer datblygiad masnachol. Yma yn Nhregaron, yn ogystal â'r fenter crefftau yn yr hen Emporium, prynodd dafarn y Llew Coch ac wedyn tafarn y *Railway Inn*, a newidiodd i fod yn Dafarn Twm Siôn Cati.

Roedd y ddelfryd o gychwyn busnes yng nghefn gwlad yn un wych, wrth gwrs. Ond dyma feddwl wedyn o ble y

Priodas Dafydd a finne yn Soar y Mynydd. Y gwas priodas oedd Cayo Evans.

deuai'r arian i gychwyn y fenter? I gymhlethu pethe, yn fuan iawn wedi i ni agor y siop fe aeth Dafydd yn fethdalwr. Roedd e wedi buddsoddi arian mewn prynu tai a mentrau uchelgeisiol eraill. Fe brynodd e hen chwarel Dorothea, er enghraifft, gyda'r bwriad o sefydlu canolfan gwyliau a chwaraeon dŵr. Ac roedd e'n bwriadu gwneud yr un peth yma yn Nhregaron yng Nglan-brennig. Roedd menter debyg eisoes ar y gweill yn Llanymddyfri.

Ei freuddwyd am y Llew Coch oedd creu tafarn o chwaeth ac o safon wedi'i seilio ar y pethe gorau o'r dreftadaeth genedlaethol cefn gwlad. Trawsnewidiodd y lle yn gyfan gwbl. Y cam cyntaf fu newid yr enw o'r *Red Lion* i'r Llew Coch. Doedd hyn ddim mor hawdd ag a feddyliodd. Gwrthwynebwyd hyn gan y fainc ynadon leol.

Yn wir, roedd y fainc leol yn destun sbort i Dafydd a

finne. Doedd ganddyn nhw, mewn gwirionedd, ddim hawl i wrthod y cais am newid enw. Ond fe wnaethon nhw. Fe fu cadeirydd y fainc, Cymro Cymraeg, yn taranu – yn Saesneg – gan fynnu fod Dafydd yn torri'r gyfraith. Ond dyma Dafydd yn ei wahodd i ddarllen y rheolau fel y câi weld y gallai Dafydd alw'r dafarn yn unrhyw beth a fynnai. 'If I like,' medde Dafydd, 'I can call it *Ishmael's Delight!*' Enw'r Cadeirydd oedd W. G. Ishmael. Gyda chydweithrediad Cwmni Bragwyr Cymru llwyddodd i ennill y frwydr, ac fel y Llew y caiff y lle ei adnabod hyd heddiw. Roedd y Fainc yn cyfarfod yn y neuadd, drws nesaf i'n cartref yn Neuadd Abercoed, ac fe fyddwn i'n picio'i mewn yno'n aml am yr hwyl. Roedd e'n adloniant llwyr. Welwyd ddim byd mor ddoniol erioed.

Doedd newid enw'r *Red Lion* i'r Llew Coch, a'r *Railway Inn* i Dafarn Twm Siôn Cati ddim yn rhywbeth gwleidyddol. Rhywbeth gwbl naturiol oedd e. Ond fe drodd e'n rhywbeth bwriadol wrth i ni gael ein gorfodi i ufuddhau i gyfreithiau dwl. Ond roedd yna resymau busnes y tu ôl i hyn hefyd. O'm safbwynt i, un o'r rhesymau y tu ôl i sefydlu busnes oedd fy mod i'n cyflwyno traddodiad Cymreig i bobl nad oedd yn gwybod dim byd amdano. Dim ond Cymry Cymraeg oedd yn gwerthfawrogi'r syniad. Doedd dim modd peidio â bod yn wleidyddol. Yn wir, roedd y modd eithafol yr oedd rhai'n ymateb i'n cenedlaetholdeb ni drwy osod rhwystrau o'n blaen yn ein gorfodi ni i fod yn wleidyddol. O ddweud hynny, er bod yr Arwisgo'n dal bryd hynny'n graith agored, wnaethon ni ddim dioddef unrhyw fandaliaeth. Ond rwy'n cofio'r Tywysog yn mynd drwy Dregaron yn y 70au, a phawb allan gyda'u baneri Jac yr Undeb a'u hymbaréls yn y glaw. Fyddai'r fath frwdfrydedd brenhinol ddim i'w weld i'r fath raddau heddiw. Mae yna lawer llai o bolareiddio heddiw – llai o gefnogaeth i'r frenhiniaeth a llai o wrthwynebiad gan

Un o bapurau arian Banc Aberystwyth a Thregaron – tystiolaeth i gryfder busnes y dref yn yr hen ddyddiau

genedlaetholwyr. A dweud y gwir, rwy'n teimlo fod y Tywysog Charles erbyn hyn yn gwneud gwaith da iawn dros Gymru. Mae e'n haeddu parch, ond heb unrhyw ffws a rhwysg.

Fe drawsnewidiwyd y Llew Coch yn llwyr. Crafwyd y plastr o'r muriau tu mewn a gadael y cerrig yn noeth. Fe wnes i lawer o'r gwaith hwnnw. Tynnwyd allan y lle tân o'r bar a gosod yn ei le tân agored, yn null tanau hen ddyddynnod cefn gwlad. Gwnaed yr holl waith gan grefftwyr lleol yn cynnwys 'hippies' a hynny yn achos barnu. Dodrefnwyd y lle â hen feinciau, setlau a byrddau, llawer ohonynt wedi eu hachub o bydredd neu o'r tân. Yn eu plith roedd hen ford gron a oedd wedi bod yn berchen i fam-gu Dafydd. Dodrefnyn diddorol arall oedd hen gist flawd a oedd yn dyblu fel bwrdd ac fel lle i gadw coed tân. A phiano. I Dafydd doedd tafarn ddim yn dafarn Gymraeg a Chymreig heb biano.

Yr unig ddodrefnyn modern oedd y bocs recordiau yn y Lolfa Fach. Roedd hwn yn gwbl wahanol i'r *juke box* arferol ac yn ddodrefnyn unigryw ynddo'i hun. Fe'i hadeiladwyd o bren tywyll o Ffrainc a'i beirianwaith o Lychlyn. Roedd y

Diwrnod marchnad yn Nhregaron

dodrefnyn felly yn gweddu i weddill yr adeilad. A dim ond recordiau Cymraeg neu Geltaidd oedd ynddo, o Bob Roberts i Meic Stevens a'r Wolfe Tones.

Elfen bwysig arall oedd y fwydlen Gymreig. Câi'r cawl ei weini mewn basin pren a'i yfed gyda chymorth llwy bren. Ar y fwydlen hefyd roedd golwyth cig eidion – a'r eidion wedi'i fagu, ei ladd a'i drin yn lleol. Heddiw does dim byd yn rhyfedd yn hyn. Ond ar ddechrau'r saithdegau roedd hyn yn rhywbeth chwyldroadol. Yn ogystal â bwydydd Cymreig cafwyd yr hawl hefyd i werthu Medd Celtaidd gyda labeli dwyieithog.

Ail-adroddwyd datblygiad y Llew Coch yn Nhafarn Twm Siôn Cati ganol y 70au. Ond y canlyniad fu, yn nes ymlaen, gwerthu'r mentrau hyn. Gwerthwyd y Llew i deulu Ianto Evans, a dyfodd i fod yn chwedl yn yr ardal fel Ianto Ym 1977 oedd hynny. Ianto oedd y rheolwr cyn hynny. Ac fe werthwyd Tafarn Twm Siôn Cati gan y banc cyn cael ei droi, yn y pen draw yn Glwb Rygbi Tregaron.

Yr eglwys a'r garej yn Nhregaron

Roedd ynddynt yr un polisi a geid yn y siop. Dim ond siaradwyr Cymraeg neu ddysgwyr gâi weithio yno.

Ar Sgwâr Tregaron

Pam sefydlu yn Nhregaron? Wel, yn syml, yn y fan honno oedd y siop oedd ar werth. Roedd e'n berffaith hefyd ar gyfer gwireddu'r freuddwyd o fyw yn y wlad ac addysgu'r plant yn y Fro Gymraeg. Roedd y lle hefyd yn ganolfan fusnes. Mae'n wir fod y lle'n dirywio, y rheilffordd wedi cau wyth mlynedd cyn hynny. Ond roedd yno bump tafarn, tri banc, ysgol gynradd ac ysgol uwchradd a nifer o siopau. Roedd marchnad ffermwyr bob pythefnos a natur y fro'n denu pysgotwyr, cerddwyr, merlotwyr ac adarwyr. Roedd y golygfeydd eu hunain yn denu llawer o ymwelwyr yno.

Roedd i'r lle hefyd, a'r fro o gwmpas rhyw hen hud a lledrith a fyddai'n gweddu i'r syniad oedd gen i o greu a hybu celfyddyd Geltaidd. Bryd hynny roedd yna lawer o grefftwyr wedi ymsefydlu yn yr ardal yn creu mewn coed, metel, gwlân a chlai.

Fe wnaethon ni brynu'r siop flwyddyn cyn i ni briodi. Roedd yr adeilad ar gael ar y pryd, yn eiddo i Dai Williams Rhyd-yr-onnen, a oedd yn rhedeg siop groser ar draws y sgwâr. Roedd y siop – yr Emporium – wedi bod yn nwylo teulu Dafydd ers cenedlaethau. I Dafydd felly roedd hyn fel dod adref. Siop deuluol oedd hi, ac roedd enw'r lle'n amlwg iawn drwy'r sir a thu hwnt fel siop ddillad. Roedd hi i ardal Tregaron yr hyn oedd siop B. J. Jones i Lambed a'r fro. Yn wir, roedd hi'n sefydliad.

Yr enw amlycaf i fod yn berchen y siop oedd R. O. Williams, ewythr i Dafydd ac ewythr hefyd i Dai Williams Rhyd-yr-onnen. Roedd R. O. Williams yn rhedeg pob math o fusnesau yn ogystal â siop ddillad. Roedd e hefyd yn groser ac yn bobydd ac roedd enw Bara Bronnant yn enwog drwy'r fro. Ar ôl prynu'r Emporium fe wnes i ganfod bwndeli o hen gardiau busnes yn dweud: 'R. O. Williams, Grocery and

Agor y tymor merlota yn 1975. Dafydd sy'n sefyll o flaen drws y ganolfan.

Provisions.' Ac yna'r rhif ffôn: 'Bronnant 1.' Ie, nhw gafodd y ffôn gyntaf yn ardal Bronnant. Roedd R.O. yn gymeriad mawr. Fe fyddai, mae'n debyg, yn brolio ei fod e'n gwerthu popeth o fatsys i dractorau.

Oni bai am gysylltiad teuluol Dafydd â theulu R. O. Williams, prin fyddwn i wedi dod i wybod fod yr Emporium ar werth. Yn aml mae pethe fel yna'n cael eu cadw'n gyfrinach yn y wlad. Dydw'i ddim yn meddwl i'r lle gael ei hysbysebu ar y farchnad erioed. Ond roedd Eirlys, gwraig Dai Rhyd-yr-onnen yn gwneud llawer â rhieni Dafydd, a dyna sut ddaethon ni i wybod am y sefyllfa.

Roeddwn i, pan gychwynnais i'r fenter, yn dal i orffen fy ngwaith PhD, felly fuodd yna ddim bwlch o gwbwl. Ond un peth oedd prynu siop wag. Doeddwn i ddim wedi meddwl pa fath o siop fydde hi, felly dyma benderfynu mynd yn ôl at fy niddordeb mawr, celf a chrefft.

Doedd siop yr Emporium ddim wedi cau'n llwyr ond doedd hi ddim yn agored ond ar ddiwrnod mart, sef bob yn ail ddydd Mawrth. Roedd e'n lle diddorol, mor hen ffasiwn. Roedd yma ddillad wedi eu hanelu at wladwyr, gan fwyaf. Yna llond y lle o fodelau *mannequin* a standiau hetiau, cannoedd o bob siâp, pob uchder a phob maint. Fe gawson ni sêl o'r stoc ddillad i gyd. Nodwedd ddiddorol arall oedd yr hen system pwli a weiers o dan y nenfwd oedd yn saethu archebion, biliau, derbynebau ac arian rhwng y cownteri a'r swyddfa. Yn anffodus roedd cyflwr yr adeilad, yr oriel ar y top yn arbennig, yn bwdr.

Fe aethon ni ati i adnewyddu'r adeilad yn griw lleol. Yn wir, rown i'n rhan o'r sgwad, yn cynorthwyo i bigo'r waliau a chael gwared ar yr hen blastr oedd wedi ei gymysgu yn yr hen ddull gyda rhawn ceffylau. Cefnder i Dafydd oedd yr adeiladwr, John Davies, Bronant.

Diddorol fu mynd ati i enwi'r siop. Fe'i henwais yn Canolfan Cynllun Crefft Cymru. Yn un peth roedd e'n enw na allai Saeson ei ynganu. Ond yn bwysicach byth, er mwyn torri drwodd i geisio am grantiau fe fyddai gofyn ffonio i wahanol adrannau o'r Llywodraeth. Nawr, petai'r pwysigyn ar ben draw'r lein yn sylweddoli fy mod i'n siarad o ryw siop fach ar sgwâr Tregaron, chawn i ddim siarad â'r un a fyddai'n gwneud y penderfyniadau. 'Mae'n ddrwg gen i, mae e ar y lein arall,' 'neu mae hi ar y lein arall', fyddai'r ymateb bron yn ddieithriad. Neu 'Mae ef neu hi mewn cyfarfod'. Felly, pan fyddai llais yn gofyn yn Saesneg, 'Who is it?' fe fyddwn i'n ateb, 'It's the Craft Design Centre of Wales'. Roedd angen defnyddio seicoleg.

Y bwriad gwreiddiol oedd enwi'r cwmni yn Canolfan Cynllun Crefft Cymru, a dyna fu am flynyddoedd. Ond chawn i ddim defnyddio'r gair 'Cymru' yn enw cwmni cyfynedig. Canolfan Cynllun Crefft Cyf. fu e am rai blynyddoedd. Ond gan mai fel Siop Rhiannon y byddai pobl leol yn galw'r lle fe wnes i gais yn ddiweddarach am newid yr enw i Rhiannon Cyf. Ar y pryd roedd yna ryw ddeddf yn atal rhywun rhag defnyddio enw bedydd. Ond i Saeson roedd yr enw 'Rhiannon' yn enw mor ddieithr fel na feddylion nhw mai fy enw go iawn i oedd e. Ond petai rhywun wedi cwyno fe fyddwn i wedi dweud mai enw duwies oedd e o'r Mabinogion. Roedd e'n ddewis da gan i mi yn fuan iawn fynd ati i gynllunio a chreu tlysau wedi eu seilio ar y Mabinogion a chwedlau Celtaidd eraill yn cynnwys Adar Rhiannon. Roedd amryw o'r cwsmeriaid yn meddwl mai wedi mabwysiadu'r enw oeddwn i oherwydd y cyswllt Celtaidd, heb sylweddoli mai dyna oedd fy enw go iawn i.

O'r dechre fe wnes i gyflogi pobol i weithio yma. Rown i'n dueddol o fod wrthi yn geni plant drwy'r amser felly roedd angen help. Fe ddaeth y cyntaf o'r plant o fewn dwy flynedd i agor y siop. Erbyn 1982 roedd gen i bedwar. Golygai magu'r plant na fedrwn i fod yma o naw tan bump.

O'r tŷ fyddwn i'n rhedeg y busnes yn weinyddol, a fi fuodd wrth y gwaith hwnnw o'r dechre cyntaf. Doedd gen i ddim profiad. Ond fe aeth Dafydd ati i roi hyfforddiant i fi ar gadw cownt.

Fel arfer fe fyddwn i'n cyflogi un person yn y siop. Y cyntaf i ni ei gyflogi oedd Tony Lewis. Fe ddaeth yma i ofyn am swydd yn dilyn achos enwog Byddin Rhyddid Cymru yn 1969. Roedd e'n un o'r naw a arestiwyd cyn yr Arwisgo. Ar ôl dod yma y cychwynnodd e arbenigo ar wneud gemwaith. Yr union adeg a phan oeddwn i'n dysgu'r grefft. Roedd e'n dod o ardal Brynbuga ond fe symudodd e i Fronnant pan ddaeth e i weithio yma. Wedyn fe agorodd ei siop grefftau ei hunan yn Nolgellau.

Gwaith cyntaf Tony oedd cerfio llwyau caru. Medrai hefyd lunio offerynnau cerdd. Roedd e'n grefftwr gwych iawn. Yn anffodus doedd e ddim yn ddyn busnes. O'r herwydd, welson ni ddim o'i orau. Doedd ganddo fe ddim trefn. Ond o ran crefftwaith roedd e'n feistr.

Fi, mae'n debyg oedd yn rheoli. Ond fe fydde rhywun

yma'n rhedeg y siop drwy'r dydd a finne'n galw draw fore a hwyr i weld fod popeth yn iawn. Fi oedd yn gwneud y prynu i gyd, ond roedd hi'n bwysig cael rhywun yn y siop a oedd yn fath ar ffrynt i'r ymwelwyr.

Yn y dyddiau hynny roedd Dafydd yn rhan o'r busnes. Roedd e wedi diwreiddio'i hun o Lunden ond roedd ei fam yn dal i redeg y gwesty. Yna fe brynodd Dafydd y Llew Coch yma yn Nhregaron. Roedd hynny toc wedi i ni brynu'r siop. Yn raddol felly fe wnaeth e droi fwyfwy at syniadau eraill fel y Llew gan fy ngadael i yng ngofal y siop.

Yna dyma Dafydd yn prynu Chwarel Dorothea, sy'n stori hir a chymhleth na fedra'i ei chofnodi am resymau cyfreithiol a gwleidyddol. Roedd yna elfennau digon bisâr yn perthyn i'r hanes. Byddai'n haws credu nofelau John Le Carre. Digon yw dweud i Gyngor Dosbarth Gwyrfai wrthod cais cynllunio ac aeth yr holl syniad i'r gwellt, yn Norothea ac yn Nhregaron a chollodd Dafydd ei holl fuddsoddiadau. Benthyca wnâi Dafydd ar gyfer pob menter. Pan aeth cynllun Dorothea i'r gwellt, Nans, mam Dafydd, brynodd adeilad Canolfan Rhiannon.

Mae'r tri mab naill ai wedi bod neu'n dal i fod yn rhan o'r busnes. Fe fu Ifan yma ond fe symudodd e ymlaen. Mae

Y Llew Coch, un o fentrau cyntaf Dafydd

Llywelyn ar hyn o bryd yn rheolwr a Gwern hefyd yn gyfarwyddwr rheoli. Ac mae Geinor y ferch, er ei bod hi'n dysgu ieithoedd yn Ysgol Tregaron, wedi bod yn gweithio yma. Mae'r pedwar yn dal yn gyfranddalwyr.

Oedd Dafydd yn rhy fentrus? Hwyrach ei fod e. Roedd ganddo fe syniadau chwyldroadol. Gwendid mawr Dafydd oedd methu â gweithredu'r syniadau ar ôl eu darganfod. Ond rhy fentrus? Wn i ddim. Fe fedrwn i ddadlau hefyd mai Cymru, ac ardal Tregaron yn arbennig oedd ddim yn ddigon mentrus i dderbyn syniadau Dafydd. Ond arian Dafydd aeth at brynu'r siop yn y lle cyntaf. Roedd e wedi cael ysgariad ac wedi gwerthu tŷ yn Llundain. Ac fe aethon ni amdani a phrynu'r lle. Fe fuddsoddwyd yr arian hwnnw i gyd yn y fenter.

Fe achosodd y newid dwylo lawer iawn o siarad yn lleol, a llawer iawn o elyniaeth ac eiddigedd. Nid yn unig roedd Dafydd a finne'n bobol o'r tu allan, roedden ni hefyd yn genedlaetholwyr. Rwy'n cofio un dyn yn dweud yn blaen wrth fam Dafydd: 'Os fydd y siop yma'n dal yn agored ymhen tair blynedd, fe fwytai'n het.' Ry'n ni yma ddeugain mlynedd yn ddiweddarach a'r proffwyd gwae wedi hen farw, er i'w het barhau'n gyfan.

Fe wnes i wynebu llawer o wrthwynebiad, a mwy fyth o anwybodaeth. Peth cyffredin oedd clywed rhywun yn gofyn, 'Beth ŷch chi'n ei wneud fan hyn â'r holl raddau yna gyda chi?' Fy ateb i oedd, 'Rwy'n gallu bwydo 'mhlant a'm hanifeiliaid yn well ac yn rhatach o wneud hyn.' A finne wedi cael gradd mewn ymbortheg anifeiliaid! Y gwir amdani oedd fy mod i mewn busnes am reswm syml iawn. Os oeddwn i mewn busnes, ac yn berchen y busnes hwnnw, fe fedrwn i wneud beth bynnag fynnwn i, heb fod yn atebol i neb arall. Ac i fi roedd hynna'n werth mwy nag arian. Rown i'n barod i aberthu llawer o incwm er mwyn cael y rhyddid – a'r penrhyddid – i wneud yr hyn fynnwn i. A thrwy hynny fe lwyddon ni i wneud amryw o bethe cyn i neb arall ei wneud e.

Doedd y ffaith fod Dafydd yn genedlaetholwr pybyr ddim yn help o ran cefnogaeth leol, wrth gwrs. Nid yn unig roedd e'n cefnogi Plaid Cymru roedd e hefyd yn un o gefnogwyr brwd y mudiad Adfer. Yma yn Nhregaron oedd un o brif gadarnleoedd y mudiad yng Nghymru. Fe fu Dafydd yn gyfrifol am brynu tai ar ran y mudiad a helpu i'w hadnewyddu. Roedd e hefyd yn troi ymhlith cefnogwyr Byddin Rhyddid Cymru ac yn un o ffrindiau pennaf Cayo Evans. Na, doedd Dafydd ddim yn un i guddio'i liwiau.

Fe wnes i weld y golau coch yn dod, felly fe wnes i gymryd drosodd fusnes y siop yn fy enw fy hunan. Fe wnes i hynny o fewn dwy neu dair blynedd i agor y lle. Ond doedd gen i ddim cyfalaf i'w roi i mewn. Felly, byw oeddwn i ar arian benthyg – hynny'n golygu benthyg arian bob gwanwyn i dalu am y stoc.

Roedd yna drefniant gan y banciau'r dyddiau hynny oedd yn caniatáu iddyn nhw wneud benthyciadau'n haws na heddiw o dan amodau arbennig. Doedden nhw ddim yn symiau mawr. Ond fe fyddwn i'n gofyn am fwy bob blwyddyn. Ar sawl achlysur fe fyddai amodau'r banc yn newid, a'r rheolwr yn gwrthod benthyciad. Ond gan fod tri banc yn Nhregaron fe fyddwn i wedyn yn mynd at y banc nesaf a dweud, 'Mae'r rheolwr lawr yr hewl wedi gwrthod benthyciad i fi. Wnewch chi fenthyg arian i fi?' Ac fe wnâi. Fe fues i felly ar drugaredd rheolwyr banc. Ac fe fydda i'n ddiolchgar iddyn nhw fyth bythoedd. Mae yna un neu ddau yn sefyll allan a fu'n gefn mawr personol i ni. Doedd yr amgylchiadau ddim yn edrych yn dda, a Dafydd wedi mynd yn fethdalwr ar y dechre. Yn wir, ar ffydd yr adeiladwyd y busnes.

Heddiw dydi mynd yn fethdalwr yn golygu fawr ddim, ond bryd hynny roedd e'n rhyw stigma. Mae yna rhyw hen

Bu'n frwydr barhaol â banciau'r dref i fenthyca arian yn y dyddiau cynnar ...

elfen ynom ni'r Cymru sy'n gwneud i ni fwynhau gweld rhywun arall yn methu. Ond doedd Dafydd, hyd yn oed bryd hynny, ddim yn gweld unrhyw stigma arbennig ynglŷn â'r peth.

Roedd ganddo ddigon o ymennydd a dychymyg ond dim digon o synnwyr cyffredin. Doedd dim byd yn amhosib yn ei olwg ef. Rwy'n dweud yn aml wrth Ifan, y mab hynaf iddo fod yn lwcus. Fe gafodd ymennydd ei dad a synnwyr cyffredin a gwaith caled ei fam! Beth petai e wedi bod fel arall?

Byw'r Freuddwyd

Gyda'r freuddwyd bellach yn ffaith, rhaid oedd mynd â'r maen i'r wal a sicrhau y byddai hon yn fenter a wnâi barhau. Hyd yn oed cyn prynu'r siop roedd gen i syniadau pendant ynglŷn â'r hyn own i am ei wneud. Yn ogystal â siop grefftau Celtaidd roeddwn i am greu canolfan a fyddai'n cynnwys hefyd atodiadau fel oriel a lle bwyta. Yr un mor bwysig fyddai creu swyddi yng nghefn gwlad. Ac mae'r nifer swyddi wedi parhau rhwng tua deg a deunaw o'r dechrau, tan yn ddiweddar.

Pan agorais i'r siop, crefftwaith oedd yma fwyaf ond nid fy nghrefftwaith i. Roedd yma stoc dda o grochenwaith. Roedd Cymru ar ddechrau'r saithdegau'n llawn crochenwyr da. O ran crefftwaith fe wnes i benderfynu stocio, ymhlith gwaith traddodiadol cyffredinol, grefftwaith gwerin cefn gwlad hefyd fel stolion godro a ffyn bugail a llestri bwrdd o bren. Mae ffynhonnell lawer o'r rhain wedi diflannu bellach gan mai hen bobol oedd yn eu llunio. Roedd yna siopau fel y Co-op hefyd yn gwerthu stolion godro yn Nhregaron ynghyd â choesau rhofiau a choesau pladuriau, a phob math o offer ffarm.

Fe fu hwn yn gyfnod cyffrous iawn yn fy mywyd. Golygai fynd o gwmpas i weld crefftwyr, i weld beth oedden nhw'n ei gynhyrchu, taflu syniadau allan a chomisiynu gwaith creadigol. Ar wahân i fusnes roedd hwn yn waith a fwynhawn yn fawr.

Y nod oedd sefydlu siop a fyddai'n gwerthu'r crefftau Cymreig gorau oedd yn bod. Hynny yw, y cynnyrch gwaith llaw gorau oedd ar gael yng Nghymru. Roedd y saithdegau'n gyfnod delfrydol ar gyfer teithio Cymru i chwilio am grefftwyr. Roedd cefn gwlad yn llawn 'drop-outs'. Nid hipis, ond pobol oedd wedi laru ar swyddi bras yn Lloegr, prynu bwthyn yng Nghymru a throi llaw at greu rhywbeth. Roedd rhai ohonyn nhw'n grefftwyr penigamp. Roedd ardal Tregaron ei hun wedi denu dwsinau. Ardal arall a ddenodd lawer o'r math hyn o bobol greadigol i mewn oedd Porthmadog.

Crochenwyr oedd llawer, crefftwyr metel wedyn. Yn fuan iawn fe aeth ein hanes ni ar led ac fe fydde crefftwyr yn gyrru yma, yn parcio ar y sgwâr ac yn dod a'u cynnyrch i'r siop i ofyn ein barn. Yn aml iawn, pan wnaen nhw agor cist y car doedd gen i ddim syniad beth i'w ddisgwyl. Roedd rhai yn waith rhyfeddol o dda a buaswn yn prynu'r cwbl.

Ymhen pum mlynedd fe gyhoeddwyd llyfr yn Llundain a oedd yn hysbysu fod ganddon ni ganolfan a oedd ag enw da yn rhyngwladol am grefftau. Ac roedd pobol yn dod o Loegr ac o America. Ond fe gymerodd ddeng mlynedd i ni cyn dechrau denu pobol o barthau eraill o Gymru, o Abertawe a Chaerdydd. Yn wir, fe aeth pymtheng mlynedd heibio cyn i neb lleol ddod i mewn drwy'r drws.

Rown i eisoes wedi diffinio celf Geltaidd, neu o leiaf fy syniad i o gelf Geltaidd. Edrychwn arni fel mynegiant gweledol o ffordd o feddwl ysbrydol, ac o bosib isymwybodol a oedd yn arbennig Geltaidd. Haws, efallai, fyddai disgrifio beth oedd ddim yn gelf Geltaidd. I fi, nid apêl fwyaf celf Geltaidd yw'r defnydd o glymwaith cymhleth a welir mewn gwaith Cristnogol cynnar. Gwell gennyf yw ysbrydolrwydd syml addurniadau'r Oes Efydd ar fetel. Yr hyn a wnaeth arddulliau hyn yn boblogaidd hyd heddiw yw'r cysyniad gwreiddiol o fywyd diderfyn yn troi fel rhod.

Teimlwn o'r dechre fod gwybodaeth wironeddol o'r traddodiad Celtaidd a'r ffordd Geltaidd o feddwl yn holl bwysig ar gyfer creu'r gwaith o'r safon gorau. Roedd y stwff a gai ei greu yng Nghymru ar y pryd yn gor-ramantu ac yn ceisio crynhoi'r cyfan i symbolaeth a ffordd ddieithr o feddwl. Mae'r symbolaeth yn bwysig, ond nid yw'n un y

Golygfeydd o'r Ganolfan yn 1972

gellir ei ddiffinio'n hawdd. Mae iddo gymaint o groes-gysylltiadau o fewn y traddodiad llafar a chyfriniol, iaith, llên gwerin, barddoniaeth a cherddoriaeth – mae e'n fwy cymhleth na chlymwaith Celtaidd. Fel pob ffurf o gelfyddyd,

Golygfeydd o'r Ganolfan yn 1972

rhaid iddo gael ei ddehongli drwy deimlad, nid drwy ddealltwriaeth a chael ei adnabod gan yr enaid, nid y meddwl.

Cwestiwn i'w ofyn oedd, a fyddai'r cwsmeriaid yn ymwybodol o hyn? Braf fu canfod i lawer ohonynt ddeall o'r dechrau elfennau symbolaidd a chyfriniol fy ngwaith yn well nag y medrwn i fy hunan. Yn wir, fe ddeilliodd llawer o'r cynlluniau cyntaf o'm dychymyg, ac ni allwn werthfawrogi eu harwyddocâd tan tua deng mlynedd yn ddiweddarach wedi i fi astudio'r pwnc yn ddyfnach.

Fe wnes i ganfod fy ffordd fy hun drwy ymchwil – darllen, sylwi, gwrando a synhwyro cyfoeth y deunydd wnaethon ni ei etifeddu a pharhau i'w brofi. Teimlaf fod fy ngwaith i'n tarddu'n uniongyrchol o'r ymwybyddiaeth hon. Mae'n wir fod fy ngwaith wedi ei gyfyngu i raddau gan ofynion y farchnad. Ond teimlaf ei bod hi'n bwysig cyflwyno rhywbeth i'r cyhoedd yn hytrach na llunio'r hyn mae'r cyhoedd yn ei ddymuno. Dyna beth sy'n braf mewn comisiynau lle caf dragwyddol heol i ddefnyddio'r dychymyg.

Fel y dywedais, wnes i ddim taro ar gelf fel pwnc nes i fi fynd i Ysgol Ardwyn ac fe fues i'n ffodus o gael yr artist a'r cartwnydd Hywel Harries yn athro celf. Ond doedd dim byd am gelf Geltaidd ar y cwricwlwm. Fe fyddwn i'n dymuno gweld celf Geltaidd yn rhan o gwricwlwm hanes celf ym mhob ysgol ac ym mhob coleg ym Mhrydain. Teimlais o'r dechre fod angen mudiadau proffesiynol i hybu ymhellach waith celf Celtaidd. Byddai buddsoddi mewn canolfan adnoddau lle byddai deunydd yn hawdd i'w ganfod yn syniad gwych. Ond yn sicr, dylai cynnwys hanes a chelfyddyd Geltaidd o fewn cwricwlwm ysgolion fod yn flaenoriaeth, gyda'r Cynulliad yn ei ariannu. Dros y blynyddoedd ysgrifennodd nifer fawr o fyfyrwyr ysgolion a cholegau ataf i ofyn am gymorth gyda phrosiectau ar gelfyddyd Geltaidd.

Yn y saithdegau roedd y deunydd celf Celtaidd a geid mewn siopau o ansawdd gwael ac yn ddiraddiad dybryd o'r hyn y mae celf Geltaidd yn ei gynrychioli. Doedd y rhan fwyaf o'r hyn oedd ar werth yn ddim byd ond copïo gwael o hen gynlluniau. Weithiau fe fyddaf yn dilorni fy ngwaith fy hun, hyd yn oed. Ofnaf na fyddaf yn gwneud dim byd mwy na thaflu allan i'r farchnad gynlluniau wedi eu seilio ar y meistri Celtaidd heb fawr ddim newydd-deb. Ond o leiaf mae'r mwyafrif ohonyn nhw'n newydd ac yn wreiddiol ac o fewn i'r cyfrwng yn hytrach na bod yn gopïau o gopïau rhywun arall allan o lyfrau. Rwyf wedi ceisio osgoi copïo o'r dechrau, ar wahân i'r enghreifftiau pan mae rhywun yn gofyn am hynny. Hyd yn oed wedyn, cynlluniau wedi eu seilio ar rai gwreiddiol fyddan nhw, nid atgynhyrchiadau. Rown i'n awyddus i drwch fy ngwaith fod yn gwbl wreiddiol, fel darnau wedi eu hysbrydoli gan y pethau a welswn, fel adar ac anifeiliaid, yn ogystal â chan themâu Celtaidd. Ond ers i fi gychwyn yn 1971, mae yna welliant pendant wedi ei weld yn safon y farchnad.

Ond wedi i'r peth gydio yng Nghymru, rhaid oedd gofyn i mi fy hun: am ba hyd y gwnâi e bara y tu allan? Rown i'n eitha hyderus, er fy mod i'n pryderu ar y dechrau y byddai poblogeiddio'r *genre* drwy ei addasu at flas pobol a bychanu'r traddodiad drwy fabwysiadu dull arwynebol yn difetha'i boblogrwydd. Dyna fu hanes adfywiadau Celtaidd yn y gorffennol. Bydd ei boblogrwydd yn gwbl ddiogel yn yr ardaloedd Celtaidd gan ei fod e'n rhan o'n treftadaeth a'n hunaniaeth. Y gobaith yn y cyfamser oedd gweld cyfleoedd i hybu gwaith artistiaid mwy newydd eu gweledigaeth. Pan wnes i gychwyn, diddorol oedd nodi fod yna eisoes artistiaid o'r fath yn gweithio yn yr Alban ac yn Iwerddon, artistiaid oedd yn cynhyrchu gwaith oedd ag iddo flas cryf a hyderus.

Roedd y farchnad yn newydd yn 1971 pan es i ati i ddewis stwff ar gyfer y siop. Yr elfen graidd, hwyrach, oedd gwarantu y byddai'r holl grefftwaith wedi'i lunio gan grefftwyr annibynnol yn gweithio yng Nghymru. Fe wnes i ofalu fod y crochenwaith, er enghraifft, i gyd wedi'i daflu â llaw yn hytrach na thrwy ddulliau mecanyddol nad oedd yn gofyn am unrhyw sgiliau. Roeddwn i am arddangos a gwerthu gwaith a oedd yn defnyddio'r dulliau traddodiadol ac yn defnyddio clai a sglein o bridd lleol gan ddefnyddio odynau llosgi coed.

Rown i'n teimlo fod dewis yn ofalus y crefftwyr yr oeddwn i am arddangos a gwerthu eu gwaith yn ei dro yn codi'r safon. Hynny yw, roedd crefftwyr yn dod i wybod pa fath o ddeunydd own i'n chwilio amdano ac yn sylweddoli mai dim ond y safon uchaf a wnâi'r tro. Ar yr un pryd rhaid oedd rhoi'r rhyddid i grefftwyr fynegi eu hunain drwy eu sgiliau a'u harddull unigol. A thrwy'r cyfan rhaid oedd sicrhau marchnad i'r gwahanol nwyddau am bris teg – i'r lluniwr ac i'r prynwr.

Beth bynnag fyddai'r cyfrwng: clai, coed, llechi, haearn, crwyn, gemau neu unrhyw gyfrwng arall, rhaid oedd i'r pwyslais fod ar y traddodiadol, yn ddulliau a chyfrwng.

O'r dechrau bron fe fu gyda ni ryw fath ar le bwyta. Roedd yr un cyntaf, un bach, uwchben y siop. Fe fu bwlch wedyn tan yn gymharol ddiweddar. Penderfyniad teuluol oedd e i sefydlu'r lle bwyta presennol. Ifan, y mab hynaf wnaeth awgrymu'r syniad gyntaf. A dyma feddwl y byddai lle bwyta'n adnodd naturiol i'r ganolfan. Roedd pobol yn gyrru yma o bobman ac yn mynd adre'r un diwrnod. Os oedden nhw'n barod i deithio yma o bobman fe wnaethon ni deimlo mai'r peth lleiaf fedren ni ei wneud ar eu cyfer oedd darparu lle ar gyfer paned a thamaid i'w fwyta. Roedd e'n ddatblygiad naturiol.

Ddechrau'r Mileniwm newydd, fel rhan o'r ailwampio fe wnaethon ni agor lle bwyta yn y tŷ drws nesaf a'i alw'n Tŷ Sara Bara. Enwyd y caffi ar ôl un o hen gymeriadau Tregaron a fu'n byw yno ac a arferai gynnig gwasanaethau pobi i bobl yr ardal. Byddai'n derbyn bara wedi'i baratoi bob bore a'i grasu yn ei ffwrn fara draddodiadol.

Y bwriad oedd cynnig yma ddewis eang o fwydydd cartref, cacennau a diodydd yn cynnwys coffi a the. Fe wnaethon ni redeg y lle mewn cydweithrediad â Gŵyl Fwyd Llambed.

Ond fe deimlais i ymhen tipyn fod hon yn mynd yn llong rhy fawr i fi ei llywio fy hunan. Dyma, felly rentu'r caffi allan. Ei enw fe nawr yw Hafan, sef hen enw'r tŷ lle mae'r caffi. Mae'r stafell de yn ychwanegu at brofiad yr ymwelwyr o weld crefftau a'r gweithiau celf sydd yn y ganolfan.

*Hafan, y tŷ bwyta
sy'n rhan o'r Ganolfan*

Gwefr yn Llundain

Ar y dechre own i ddim yn cyffwrdd â gemwaith. Ond gan y byddwn i'n ymweld â Llundain ddwywaith neu deirgwaith y flwyddyn fe fyddwn i'n mynd i wahanol arddangosfeydd gemwaith. Yn digwydd bod yno un tro yn Oriel Hayward roedd arddangosfa o greiriau Celtaidd o bob rhan o'r byd. Digwydd taro i mewn wnes i. Doedd yr ymweliad ddim wedi'i drefnu. Ond fe wnaeth gryn argraff arna i. Yn wir, yno y cefais i ryw alwad i fwrw ymlaen i greu gwaith Celtaidd.

Fe wnes i edrych yn fanwl ar y cynlluniau Celtaidd hyn ac o'r eiliadau cyntaf hynny, meddiannwyd fi gan yr awydd i drosglwyddo'r traddodiad hynafol hwn i bobl heddiw. Ond rown i'n benderfynol na wnawn i ddim efelychu'r cynlluniau hyn yn slafaidd. Rown i am iddyn nhw adlewyrchu fy ngweledigaeth fy hunan.

Yr hyn a'm trawodd i oedd bod yno ynghanol pobol o bob iaith o bob rhan o'r byd, llawer ohonyn nhw heb unrhyw syniad o'r hyn oedden nhw'n ei weld. Yn wir, roedd y gwaith yn codi ofn ar rai ohonyn nhw. Ond i fi roedd e'n gyfarwydd, yn taro tant. Yn y darnau fe fedrwn i weld y Mabinogion a gwahanol ddywediadau Cymraeg yn y ddelweddaeth. A dyma deimlo fod yn rhaid i fi wneud rhywbeth yn ei gylch. Roedd e'n ddrws agored. Fe deimlais i ryw fath o genhadaeth, teimlo y dylwn i fynd ati i gyflwyno chwedloniaeth a hanes a dywediadau gwerin i gynulleidfa ddi-Gymraeg drwy gyfrwng celfyddyd. Cefais fy syfrdanu o sylweddoli fod y crefftwyr a greodd y darnau oedd o'm blaen wedi eu creu tua thair mil o flynyddoedd yn ôl, ond bod eu gwaith yn dal i swyno pobol hyd yn oed yn yr oes faterol hon.

Trawyd fi hefyd gan y sylweddoliad o'r berthynas agos rhwng y gelfyddyd hon a'n hetifeddiaeth lenyddol yn y gwledydd Celtaidd. Teimlwn hi'n fraint cael bod yn un o'r lleiafrif a allai etifeddu cyfran o'r llenyddiaeth hwnnw heddiw, yn perthyn i un o'r ychydig genhedloedd Celtaidd oedd heb golli ei hiaith, tra bod y gweledol yn parhau i ennyn gwerthfawrogiad ledled y byd.

Mae'r gorffennol a thraddodiad wedi bod yn bwysig i fi erioed, o'r ddolen gyswllt sydd y tu mewn i bobol yn goroesi'r oesoedd fel rhyw syniad annelwig ac athronyddol. Oherwydd fy mod i'n Gymraes, teimlais ryw agosatrwydd arbennig at yr artistiaid o'r hen oes a greodd y campweithiau oedd o'm blaen ac fe deimlais i ryw reidrwydd i drosglwyddo a mynegi'r traddodiad cyfoethog hwn drwy fy ngwaith.

Na, nid dynwared. Nid copïo. Nid atgyfodi darganfyddiadau hap a damwain o'r gorffennol pell yw'r nod ond parhau i greu rhai newydd. Yn anffodus, mae byd masnach yn galw byth a hefyd am gopïau syml, ond da gen i ddweud nad yw hynny'n wir am fy nghwsmeriaid yng Nghymru.

Mae chwedlau'r Mabinogion yn sail ac yn ysbrydoliaeth i lawer o'm gwaith. Rhyw ddolen gyswllt yw hyn hefyd, yn sefyll yn y canol rhwng yr hen oesoedd cynhanes a'r oesoedd hanesyddol mwy diweddar, ac sy'n gyfrwng i drosglwyddo ychydig ddealltwriaeth. Unwaith eto, yr anelwig sy'n fy niddori. Ac roedd e'n achos tristwch i fi fod cymaint o ysgrifennu a darllen ar y testunau hyn yn Saesneg a chyn lleied o ddiddordeb ymysg Cymry Cymraeg.

Fe wnes i ganfod yn gynnar nad oedd y Saeson yn sylweddoli mai Cymraeg oedd y llenyddiaeth gyntaf ym Mhrydain, a chan fod stori gyda phob darn fyddwn i'n ei werthu, rown nhw'n dysgu rhywbeth am hanes Cymru wrth iddyn nhw brynu. Felly, ddim yn unig own i'n gwerthu'r darnau Celtaidd, roedd y cwsmeriaid hefyd yn dysgu rhywbeth am ddiwylliant y Celtiaid.

Roedd dechrau'r saithdegau'n gyfnod delfrydol i

gychwyn busnes wedi ei seilio ar y traddodiadau Celtaidd. Roedd dylanwad Alain Stivel nawr yn dechrau ymledu o Lydaw ac roedd yna artistiaid Celtaidd wedi ymddangos, pobl fel Courtney Davies, a anwyd yn y Coed Duon ac a oedd yn seilio'i waith ar hen lawysgrifau a'u moderneiddio nhw rywfaint gyda chyffyrddiad o *art nouveau*. Jim Fitzpatrick wedyn, a fyddai'n dod ag elfennau Gwyddelig i mewn i'w waith. A David James, a oedd yn ogystal yn rhedeg cylchgrawn Celtaidd o'r enw *Celtic Connections*.

Roedd y rhain a finne i gyd wedi profi rhyw alwad, Courtney Davies yn arbennig. Yn dilyn damwain, roedd e'n gorwedd yn y gwely mewn ysbyty a dyma fe'n gweld mynachod o'i gwmpas. Roedd yna eraill, ar y llaw arall, yn gwneud dim byd mwy na chopïo celf allan o hen lawysgrifau fel Llyfr Kells. Fe fydde hynna yn fy ngwylltio i. Fe fyddwn i'n annog crefftwyr i greu cynllunwaith newydd.

Fe wnes i fynd ati i drefnu arddangosfa yma wedyn o waith newydd. Yn wir, fe es i ar ryw fath ar bererindod o gwmpas Cymru i annog crefftwyr i gyfrannu gwaith newydd. Fe wnes i roi cynlluniau i rai a rhoi llyfrau yn cynnwys patrymau i eraill. Mae amryw ohonyn nhw'n dal i greu gwaith celf hyd heddiw. Nid addurniadau Celtaidd yn unig fyddwn i'n eu comisiynu neu eu prynu i mewn. Roedd gen i ddiddordeb mewn pethe mwy fel llefydd tân ar gynlluniau Celtaidd.

Fe drefnais i'r arddangosfa dros gyfnod gwyliau, ac fe fu hi'n llwyddiannus iawn. I fi, y syniad o greu gemwaith Celtaidd ddaeth gyntaf cyn mynd ati i ddewis y cyfrwng. A'r dewis oedd arian, ac yna yn nes ymlaen, aur. Ac yn dilyn y profiad ysgytwol hwnnw yn yr Hayward yn Llundain dyma fynd ati i ddysgu fy hunan i weithio mewn arian, a hynny drwy brofiad a thros amser hir.

O ran y gwaith arian, torri siapiau allan â llaw fyddwn i o haenau neu ddalennau tenau o'r metel. Yr unig offer trydanol oedd gen i ar y dechrau oedd dril *Black and Decker* a oedd yn eiddo fy rhieni. Fe gostiodd ddeg punt. Yna fe brynais i ddril bach, fel un deintydd, a oedd yn hongian mewn man cyfleus. Â hwnnw y byddwn i'n ysgythru'r patrymau. Fe fyddwn i'n teithio i Lundain i brynu'r arian yn ôl y galw gan dalu gydag arian parod.

Fe ges i hwb fawr ymlaen gyda'r syniad o greu gwaith gwreiddiol pan enillais i wobr yn Eisteddfod Aberteifi, 1976 am greu anrheg neu gofeb Gymreig. Roedd y wobr yn hanner canpunt am gynllun modrwy *serviette* gyda hanes Aberteifi arni. Dyma beth wnaeth ariannu prynu'r offer cyntaf.

Doedd yr enghreifftiau cyntaf ddim yn gywrain iawn. Ac oherwydd y sefyllfa ariannol fregus rhaid oedd cymryd gofal. Gallai un camgymeriad ddifetha darn cyfan o arian. Wrth gwrs, fe fyddwn i'n medru ail-gylchu darnau sbâr. Fe fyddwn i'n gweithio mewn gweithdy bach yng nghefn y tŷ. Gweithio ar y syniadau yn y gaeaf fyddwn i a gwerthu'r darnau yn y siop yn yr haf. Ar ddamwain fe welwyd fy ngwaith gan yr Athro Leopold Kohr, ffrind mawr i'r teulu a oedd wedi dod draw i'r Brifysgol yn Aberystwyth fel darlithydd mewn athroniaeth wleidyddol. Roedd e'n gredwr mawr mewn manteision cymdeithasau a chenhedloedd bychain ac fe ddaeth yn enwog drwy ei gyfrol *The Breakdown of Nations*. Awstriad oedd e ac roedd ganddo fe ddiddordeb mawr yn y traddodiad Celtaidd. Dyma fe'n dangos i fi gylchgrawn oedd yn hysbysebu eitemau amgueddfaol drud iawn. Enw'r catalog oedd *Ars Mundi* a dyma fe'n ysgrifennu at y golygydd am fy ngwaith. Chwerthin wnes i, ond fe awgrymodd e fy mod i'n ysgrifennu llythyr, ac yntau'n ei gyfieithu i'r Almaeneg a'i anfon i'r cylchgrawn. A dyma'r llythyr yn agor y drws i werthiant am dros bump neu chwe blynedd. Yn wir, dyma i raddau helaeth y cam a wnaeth arwain at sefydlu'r busnes. Yr eitemau mwyaf poblogaidd eto oedd Cŵn Annwn. Fe fyddwn i'n eu cynhyrchu am tua ugain punt a hwythau yn eu gwerthu am tua phedwar ugain punt. Fe wnes i wedyn fuddsoddi'r elw hyn nôl yn y busnes a dyma beth sicrhaodd fy mod i'n medru cadw fy mhen uwchlaw'r dŵr.

Cam naturiol fu troi at weithio mewn aur. Fe wnaeth un neu ddau o gwsmeriaid ofyn am enghreiffiau o'r gwaith mewn aur yn hytrach nag arian. Doedd y dulliau o weithio yn y ddau fetel ddim yn wahanol iawn. Fy angen mwyaf oedd canfod dull cyflymach o wneud y darnau. Pan ddechreuais i werthu drwy *Ars Mundi* roedd y broses yn un lafurus ac araf. Fe gymerai brynhawn cyfan i fi gwblhau un eitem. Fe fydde'r cylchgrawn yn archebu hanner dwsin ar y tro ar y dechrau gan godi i archeb o ddeg ar y tro. Golygai hyn dorri pob un allan â llaw. Y cam cyntaf fu eu harchebu wedi eu torri eisoes allan o'r haenen arian. Fe fyddwn i wedyn yn gwneud y gwaith gorffen â llaw. Ymhen ychydig flynyddoedd fe wnes i droi at gastio'r darnau mewn mowld. Roedd hynny'n llawer cyflymach.

Pan fyddaf yn gweithio ar batrwm clymwaith, fe fyddaf yn braslunio ar y ddalen arian a'i dorri â llif fechan. Gall llunio tlysau gymryd amser hir. Fe all modrwy gyda phatrwm cymhleth a thyllau ynddi gymryd pythefnos.

Fedra'i ddim dweud hyd heddiw fy mod i'n arbenigwïdly ar y gwaith yn yr ystyr glasurol. Datblygu fy nghelfyddyd fy hun wnes i, i ryw raddau. Mewn trin y metel y daw'r boddhad. Rwy wrth fy modd yn toddi a thrin metel. Os byddai angen gosod gem mewn darn aur neu arian, byddwn yn mynd at arbenigwr i wneud hynny. Mae honno'n grefft wahanol. Yn ddiweddarach fe aeth dau o'r meibion ati i fynychu cwrs ar ddiamwntiau yn Antwerp.

Er na fydda i'n copïo gwaith Celtaidd, ar wahân i enghreiffiau lle mae'r cwsmer yn dymuno hynny, mae gen i fy hoff grefftwyr. Rwy'n hoff iawn o emwaith Rene Lalique, a oedd yn gweithio yn Ffrainc ar droad y ganrif ddiwethaf.

Roedd ei grefftwaith yn odidog a'i syniadau'n greadigol ac arloesol. Ond llwyddodd hefyd i greu gemwaith oedd yn ymarferol, yn boblogaidd ac yn cadw ei apêl mewn blynyddoedd i ddod.

Ymhlith artistiaid sy'n gweithio heddiw, mae gwaith Peter Lord yn apelio'n fawr ataf, a chredaf fod ei allu i ymgorffori elfennau pwysig mewn gweithiau cyfoes rhagorol yn mynd i sicrhau iddo le hanesyddol ym maes celfyddyd Cymru. Trueni iddo droi at hanes celf, lle mae e'n gwneud cyfraniad mawr, mae'n wir, yn hytrach na chreu mwy fel Gerddi Hywel Dda.

Y bwriad gwreiddiol o ymsefydlu yn Nhregaron oedd codi'r plant mewn bro Gymraeg. Ond roedd i'r ardal fantais arall. Gan fod hon yn ardal sydd â chysylltiadau clos â'r Celtiaid – mae yna hen safleoedd o'n cwmpas ymhobman – rwy'n teimlo fod rhywbeth yn yr awyrgylch sy'n ysbrydoli llawer o'm gwaith.

Mae'r hen hanesion yn dal yn fyw yma. Hyd yn oed heddiw mae yna bobol sy'n credu yn y Dyn Hysbys ac mewn rheibio – sef gosod melltith ar rywun. Mae rhai o'r darnau y byddaf yn eu llunio yn swynbethau iacháu. Ac mae'r bobol sy'n eu prynu yn tyngu eu bod nhw'n gweithio. Pwy ydw i i'w hamau? Yn wir, ry'n ni wedi derbyn llythyron oddi wrth bobol sy'n tystio fod i rai o'r darnau nerthoedd ysbrydol a'u bod nhw'n symbolau talismanig, yn arbennig rhai o'r croesau. Mae'r math yma o effaith wedi'i deimlo gan bobol sydd heb erioed fy nghyfarfod ac sydd heb wybod am arwyddocâd y patrymau. Wrth gwrs, mae amryw ohonynt yn deillio o hen batrymau Celtaidd a oedd yn rhan o ddefodau'r cyfnod.

Mae hyn yn bwysig iawn i fi. Rwy'n teimlo fod yr olyniaeth hon o ddyddiau'r Celtiaid wedi ei anwybyddu yn ystod y canrifoedd diwethaf, yn enwedig ar ôl dinistrio'r mynachlogydd pan gafodd llawer iawn o drysorau eu colli.

Yn ddiweddarach dinistriwyd llawer o'r traddodiadau gwerin gan yr Ymneilltuwyr. Nid bod angen i bopeth fod â rhyw ddwyster ysbrydol. Fe wnes i seilio patrwm tlws o'r enw Milgi Milgi ar gi tafarn y Talbot ar draws y ffordd!

Yn Llundain a Birmingham a dinasoedd mawr eraill mae canolfannau'r grefft gan fwyaf, a dynion yw mwyafrif y crefftwyr sy'n cynnal eu busnes eu hunain yno er bod llawer o ferched yn gweithio yn y maes fel crefftwyr o fewn cwmnïau cynhyrchu.

Ddiwedd yr wythdegau fe wnes i fynd ati fel tiwtor i gynnal dosbarthiadau ar gyfer menywod oedd â diddordeb mewn cychwyn busnes. Roedd y cyrsiau hyn, Menywod i Mewn i Fusnes, drwy gyfrwng y Gymraeg yn rhan o raglen a weinyddwyd gan Fenter a Busnes Awdurdod Datblygu'r Canolbarth. Fe dderbyniais i becyn ar gyfer arwain y cwrs yn Saesneg, a bu'n rhaid i fi ei gyfieithu. Fe fu gofyn i fi ei addasu hefyd gan fod rhai o'r engreifftiau a'r senarios yn y pecyn yn amherthnasol yn Gymraeg. Roedd angen newid rhai pethe ar gyfer Cymry, ac roedd hynny ynddo'i hun yn her.

Ond fe brofodd y cyfan i fod yn addysgiadol i fi hefyd. Doeddwn i ddim erioed wedi dilyn cwrs busnes. O gyfieithu'r deunydd fe wnes i ddod i'w ddeall e'n well na drwy ei ddarllen e'n unig. Roedd yna gyfres o gyfarfodydd, rhai'n lleol ac eraill yma ac acw. Yn wir, mae llawer o'r menywod fu ar y cwrs yn dal mewn busnes.

Menywod fferm oedd llawer ohonyn nhw, ond doedden nhw ddim yn ystyried eu hunain yn bobl busnes o gwbwl. Y dasg gyntaf oedd esbonio wrthyn nhw beth oedd y sgiliau a oedd yn addas ar eu cyfer. Roedd amryw ohonyn nhw'n abl i gyflawni pump neu chwech o sgiliau gwahanol, a hynny ar yr un pryd. Ac mae menywod fferm yn bobl alluog sy'n medru troi eu llaw at unrhyw beth. Doedden nhw, wrth gwrs, ddim yn sylweddoli fod ganddyn nhw'r fath sgiliau.

Doedden nhw, er enghraifft, ddim yn ystyried fod rhedeg tŷ yn sgil. Nhw fydde'n paratoi'r bwyd, gan ddefnyddio cynnyrch y fferm. Nhw fydde'n cadw'r cyfrifon. Eto i gyd, fe fydden nhw'n glanhau sgidiau eu gwŷr. Yn wir, y cwestiwn cyntaf fyddwn i'n ei ofyn oedd hwnnw. 'Faint ohonoch chi sy'n glanhau sgidiau eich gŵr?' Roedd y rhan fwyaf yn gwneud hynny. Y cwestiwn nesaf fyddai, 'Fyddwch chi'n dal i wneud hynny pan ewch chi i fusnes?' Roedd e'n gwestiwn annisgwyl iddyn nhw. Ond dyna sut wnes i fynd ati i greu rhyw shifft meddwl ynddyn nhw.

Mae plant ffermwyr yr un fath. Pan fyddwn ni'n cyflogi rhai ohonyn nhw yn y Ganolfan, fe wnawn i ganfod fod gan blant a godwyd ar fferm sgiliau arbennig cyn dod yma. Ac mae ganddyn nhw agwedd llawer mwy positif at waith na phlant eraill.

Iaith a Gwaith

Un peth wnes i fynnu ei wneud oedd rhedeg y busnes yn Gymraeg o'r dechre. Drwy fynnu'r hawl hwnnw fe wnes i – os nad torri'r gyfraith – ei herio droeon. O ran llythyren y ddeddf oeddwn, roeddwn i'n torri'r gyfraith drwy fynnu, er enghraifft, fod fy staff i'n siarad Cymraeg. Os nad oedd gan ymgeisydd am swydd y gallu i siarad Cymraeg, yna châi ef neu hi ddim o'r swydd. Fe ges i bob math o anawsterau gan y Bwrdd Perthynas Hiliol. Ond gwrthodwn dderbyn fy mod i'n torri'r gyfraith mewn gwirionedd. Doedd gan fy safiad i ddim oll i'w wneud â hil. Er mwyn codi dau fys ar y Bwrdd Perthynas Hiliol fe wnes i fynd mor bell â chyflogi merch Siapaneaidd a fedrai siarad Cymraeg. Fe wnes i hefyd gyflogi Americanwr oedd yn siarad Cymraeg. Ac mae gen i reol sy'n bodoli yn y siop o hyd bod y staff fod siarad Cymraeg o flaen cwsmeriaid. Yn naturiol, fedra'i ddim atal neb rhag siarad Saesneg o gwbwl. Ond dim ond Cymraeg sydd i'w siarad yn gyhoeddus. Wedi'r cyfan, dyna'r ddelwedd mae'r siop am ei chyfleu.

Yn y gweithdy ar ddechrau'r nawdegau.

Shirts of Magic and Mystery
Crysau Hud a Lledrith

DESISNS BY ~~Rhiannon~~ OF TREGARON

Rhiannon Evans has an international reputation as one of today's leading Celtic Artists. Unlike many of the popular historical Celtic design products now available, Rhiannon's designs are original and imaginative works. They spring from a deep and intuitive knowledge and understanding of the whole Celtic tradition, particularly that of Britain.

Her latest creations are a series of striking artistic designs inspired by the ancient Celtic legends known as the Mabinogion. Printed in vibrant blended colours on black T-shirts and long-sleeved shirts, they represent mystical reflections of the otherworld characters and magical symbolism found in these tales – our own mythology handed down to us from the earliest Celtic inhabitants of Britain. In Welsh-speaking Wales this early British heritage has survived intact, and is still a meaningful part of daily life. Rhiannon's work is therefore a part of our still developing

*Ifan, Gwern a Geinor yn modelu cyfres Crysau T (cynlluniau Rhiannon)
ar ddechrau'r nawdegau*

Yn wir, er mwyn profi pwynt, fe es i ati yn y blynyddoedd cynnar i wneud popeth yma'n bedairieithog. Doeddwn i ddim am ddangos bod y Saesneg yn bwysicach nag ieithoedd eraill. Felly roedd pob taflen yn bedairieithog – Ffrangeg, Almaeneg, Saesneg a Chymraeg. Ac am y llyfrau cownt, mae'r cyfan wedi bod yn Gymraeg o'r dechre.

Fe alla'i ddeall pam o'dd pobol yn chwyrn ac yn amheus o'r fenter. Roedd y siop yn adeilad mawr – er ei fod e bedair gwaith yn fwy erbyn hyn – ac arno angen llawer iawn o waith. Gallwn ddychmygu pobl yn sibrwd wrth ei gilydd: 'Pwy yw'r rhain i gymryd y fath le drosodd?' Ond tyfu wnaeth y busnes a maint y ganolfan. Dros y blynyddoedd fe ddaeth dau dŷ'n wag ar un pen ac un arall ar y pen lle gwnaethon ni agor caffi. Ar ben hynny fe ddaeth iard yn y cefn yn wag.

O'r dechrau roedd Dafydd a finne'n benderfynol o fynd ati yn ôl ein cynlluniau ni. Roedden ni'n benderfynol o anwybyddu barnau a rhybuddion pobol leol. Wnaethon ni ddim anelu at werthu i bobl leol. Doedd dim llawer o arian yn Nhregaron ac roedd pob punt a ddeuai i mewn yn cyfrif. Y bwriad o'r dechrau oedd defnyddio Tregaron fel canolfan er mwyn tynnu arian i mewn i'r fro. Dyna oedd y ddelfryd. Denu arian i mewn oddi wrth ymwelwyr ac eraill.

Peth arall bwriadol fu hybu delwedd Tregaron fel cyhoeddusrwydd. Mae llawer o chwedloniaeth ynghlwm â'r lle. Ac mae'r chwedloniaeth honno'n rhan o'n cyfnod ni heb sôn am hanesion am Twm Siôn Cati a'r porthmyn ac eraill. Pan ddechreuodd John Hughes o Bont-y-pridd gynhyrchu ei Grogs enwog, fe wnaethon ni eu stocio nhw. Ond fe wnaeth John yn ogystal gynhyrchu tywelion sychu llestri gyda chartwnau arnyn nhw. Ar un ohonyn nhw roedd y geiriau, 'Tregaron – A Town Where they Don't Like the English'. Rown nhw'n gwerthu fel slecs. A Saeson fydde'n eu prynu nhw fwyaf. Yn wir, fe gariwyd stori yn y wasg yn ein cyhuddo ni o gasáu Saeson. Y canlyniad oedd i fwy o Saeson alw yma. Lein arall oedd yn gwerthu'n dda oedd copïau o rai o gerddi Harri Webb yn cynnwys 'We're looking up England's arsehole'.

Yn ystod yr wythdegau fe fyddwn i'n cyfrif cwsmeriaid a

Y siop grefftau yn 1997

fydde'n dod i'r siop drwy ddefnyddio rhyw beiriant bach wrth y drws. Roedd tua thrigain mil yn galw'n flynyddol, llawer ohonyn nhw'n dramorwyr o America ac Awstralia yn dod i Lunden, yn darllen neu wedi darllen amdanon ni cyn dod – ac yn gyrru'r holl ffordd draw i Dregaron i weld y lle rhyfedd a'r bobol ryfedd yma drostynt eu hunain. Fe fydden nhw'n treulio awr neu ddwy yn y siop ac yna'n gyrru nôl i Lunden.

Tristwch y sefyllfa i fi oedd diffyg unrhyw beth arall i dynnu eu sylw. Doedd neb arall yn Nhregaron yn cynnig dim. Roedd yma gyfle. Roedd y lle'n aeddfed ar gyfer denu pobol o bobman. Yn y pen draw, yr unig ateb oedd mynd ati ein hunain gan ddarparu mwy o atyniadau drwy ehangu'r siop a'i chynnwys ac ychwanegu orielau a chaffi.

Mae'n wir fod merlota ar ei anterth pan wnaethon ni gychwyn. Ond nid dyna'r fath o farchnad oedden ni'n chwilio amdani. Roedd twristiaid yn dod yma hefyd, pobl yn gyrru drwyddo, neu 'passing trade'. Fe fydden nhw'n oedi yma, ond doedd fawr ddim byd yma i'w cadw nhw hwy na choffi neu beint ac, ar y mwyaf, pryd o fwyd. Y gwir amdani, wrth gwrs, oedd ein bod ni'n awyddus i werthu Tregaron lawn gymaint â gwerthu nwyddau'r siop. Fe wnaethon ni hybu'r ddelwedd o'r Gorllewin Gwyllt, er enghraifft. Ac roedd yna sail i'r ddelwedd. Ar yr un llaw fe fydde bois y mynydd, fel Brodyr Nantllwyd yn dod lawr ar eu ceffylau ar ddiwrnod mart. Yna roedd Cayo Evans a'i griw yn troi Tregaron yn rhyw fath ar 'frontier town'. Felly roedd hon yn seicoleg gwerth chweil i'w hybu.

Mae rhai o'r taflenni hysbysu cynnar gen i o hyd. Byrdwn y broliant oedd:

VISIT THE PARTS THAT OTHER TOURISTS DON'T REACH
Come to TREGARON in Dyfed
Drive through the surrounding hills, outstandignly beautiful and unspoilt, and stop at Tregaron, a Welsh speaking township in the "Wild West" of Wales. – An ideal centre for Riding, Fishing, Shooting, Walking, Nature Study and all other country pursuits.

Ar fersiwn arall fe wnes i ychwanegu:

COME TO THE WILD WEST OF WALES
Visit TREGARON in Dyfed
A DIFFERENT LANGUAGE
A DIFFERENT WAY OF LIFE
A GENUINE WELSH WELCOME

O dan y broliant roedd map manwl o Aberystwyth i Langurig i lawr am Gaerfyrddin a Llanymddyfri. Ac wrth gwrs, fe fyddai'r hanesion am yr ardal wyllt hon yn denu

Y siop wlân yn 1985 yn cynnwys cynnyrch Rhiannon ei hun

ymwelwyr. O glywed yr hanesion hyn fe fydde Saeson yn heidio yma i weld drostyn nhw'u hunain. Mae'r llyfrau sylwadau gen i o hyd, rheiny'n adlewyrchu teimladau ymwelwyr o ddod yma. Rwy'n cofio ymwelydd yn dweud fod mwy o fywyd nos yn Nhregaron nag oedd yn Llundain gyfan.

Fe fydde'r tafarndai yn agored drwy'r nos. Bob Gŵyl Banc fe fydde'r hipis yn glanio yn eu faniau lliwgar yn llawn plant. Fe fydden nhw'n parcio ar y sgwâr ac yn mynd am bryd o fwyd i'r Talbot neu dafarndai eraill. Ond dyma hi'n mynd yn wrthdrawiad yn y diwedd rhwng bois lleol a'r hipis. Ddaeth yr hipis ddim nôl wedyn. Ond roedd y cyfan yn hybu delwedd y Gorllewin Gwyllt.

Fe ddigwyddodd yr un peth gyda gangiau motor-beics oedd yn dod i'r Llew Coch, hynny yw, *Hell's Angels*. Fe ddaethon nhw mewn yn cario cyllyll a chadwyni. Fuon nhw ddim yno'n hir iawn. Roedd y cyfan eto, wrth gwrs, yn dod yn rhan o chwedloniaeth y lle.

Yn ein taflenni byddem yn cynnwys manylion am atyniadau'r fro, cefndir hanesyddol Tregaron fel ardal y porthmyn, lleoliadau fel Llyn Brianne a phresenoldeb y barcud coch. Yn raddol fe wnaethon ni lwyddo i ddenu pobol yma, y math o bobol nad oedd yn dod yma cynt. Eu bwriad nhw, falle, fyddai dod i Lunden neu ddinasoedd eraill. Yno fe fydden nhw'n gweld cyhoeddusrwydd ac yn penderfynu teithio draw i weld y lle drostynt eu hunain. Eu hesboniad nhw'n aml fyddai, 'O, we read about you in the travel mag.' Ac fe fydde llawer ohonyn nhw, ar ôl gyrru lawr yr holl ffordd, yn gyrru nôl yr un diwrnod. Nododd un Americanwr yn y llyfr sylwadau iddo hedfan drosodd, gyrru 3,000 milltir a'r cyfan yn werth chweil.

Y gobaith oedd y bydden ni'n un ddolen ar gadwyn a fyddai'n denu pobl yma, ac yn eu cadw am ddiwrnod neu ddau, neu hyd yn oed am wythnos. Yn anffodus ni oedd yr unig atyniad. Roedden ni ar dop y farchnad yn ariannol. O'r herwydd, ar ôl galw gyda ni fe fyddai llawer yn mynd ymlaen i chwilio am lety a bwyd i lefydd mwy moethus o lawer.

*Poster o un o nifer o arddangosfeydd a gynhaliwyd yn y Ganolfan dros y
blynyddoedd*

Gaeafau Hirion

Ar un adeg roedd ganddon ni ein gweithdai ein hunain yn yr hen orsaf dân yn Nhregaron. Roedd yno grochennydd a gemydd. Bachgen lleol, Frank Jones oedd y crochennydd ac fe wnes i weithio llawer gydag ef yn datblygu themâu Celtaidd. Roedd e wedi cychwyn gyda Chrochenwaith Tregaron yng Nghastell Fflemish. Ar ôl bod gyda ni fe aeth i Sain Ffagan fel arbenigwr ar adnewyddu hen adeiladau.

Un ffordd o sicrhau gwerthiant drwy'r flwyddyn fu sefydlu catalog, a gwerthu drwy'r post. Yn ddiweddarach fe wnaethon ni ddechrau gwerthu dros y we. Bu hyn yn symudiad da gan fod hanner ein cynnyrch, ar adegau, yn gwerthu naill ai drwy'r post neu'r we. Mae'r eitemau a werthir dros y we yn amrywio mewn pris o £50 i £5,000.

Roedd y tueddiad Celtaidd yn hwyr yn cyrraedd Cymru. Yn wir, fe gymerodd gryn amser cyn i Stivel gael ei dderbyn. Roedd hi'n ganol y saithdegau cyn i Ar Log ymddangos. Hwyrach fod yr hen ddylanwad ymneulltuol yn dal gyda ni gyda'r gwrthwynebiad i firi dawnsio gwerin a ffeiriau'n dal yn ein plith. Felly, braidd yn araf fu ymateb y Cymry i'r deunydd Celtaidd. Pobl ddwad ac ymwelwyr fyddai'n dod i weld ac i brynu gan fwyaf.

Roedd gwneud arian yn ystod y gaeaf yn her barhaus. Fe fyddwn i, yn ystod y blynyddoedd cynnar, yn cau'r siop yn y gaeaf. Roedd pethe'n dymhorol iawn yr adeg honno. Ac fe fyddwn i'n troi'n llaw at bethe eraill. Un peth wnes i oedd cychwyn busnes bach argraffu. Fe ges i am ddim hen beiriant dyblygu *Gestetner* o swyddfa cyfreithiwr yn Llambed. Roedd e'n glamp o beiriant a oedd yn argraffu drwy droi handl fel hyrdi gyrdi. Argraffu drwy gyfrwng stensil oedd e. Fe ddaeth e'n gyfrwng celf newydd i fi. Fe fyddwn i'n arbrofi drwy argraffu deunydd mewn lliw. Fe fyddwn i'n argraffu pob

*Patrwm 'Fair Isle' a luniais yn cynnwys delweddau
o'r barcud coch a'r Trisgell*

mathau o bethe i bobl, cardiau busnes a hyd yn oed gardiau meirch. Dyma beth oedd yn fy nghynnal i drwy'r gaeafau.

Roedd cadw'r staff o un flwyddyn i'r llall hefyd yn broblem barhaol. Gyda'r siop ynghau dros y gaeaf, roedd hi'n anodd canfod digon o waith i'w cadw. Un syniad fu troi at nwyddau gwlân. Nôl ynghanol y saithdegau oedd hyn pan oedd Dafydd a finne'n cadw diadell o ddefaid duon pedigri Cymreig. A dyma fynd ati i wneud nwyddau o'n gwlân ein hunain. Fe brynais i beiriannau gwau i ddwy o'r merched oedd yn gweithio yma. Yn ystod y gaeaf fe fydden nhw'n gwau fyny'r llofft. Roedd hi'n oer yno, a ninnau'n methu fforddio cynhesu'r lle yn y gaeaf. Roedd ganddon ni felly dân coed ar y llofft, a sgiw bob ochr. Roedd y cyfan mor jocôs. Tân coed, sgiwiau pren a phaned wrth wau siwmperi. A gan fod yna rywun yn yr adeilad roedd modd cadw'n rhannol ar agor. Pan ganai cloch drws y siop, fe wnai un o'r merched ddod lawr. Ond fe allai diwrnodau fynd heibio heb i neb alw.

Y ganolfan erbyn yr wythdegau.

Roedd y cynnyrch hwn yn berffaith ar gyfer cyhoeddusrwydd gan fod yna hen rigwm yn dweud:

Mae'n bwrw glaw allan,
Mae'n hindda'n y tŷ,
A merched Tregaron
Yn nyddu gwlân du.

Fe werthon ni lawer iawn o'r rhain gan wneud rhai i blant ac oedolion. Fe wnaethon ni ymgorffori patrwm o'r barcud coch ynddyn nhw. Roedd rhain yn ffitio'n berffaith i'n patrwm nwyddau gan ein bod ni hefyd yn gwerthu dillad brethyn yn ogystal a nwyddau gwlân Ffatri Cambrian, Llanwrtyd. Roedd honno'n ffatri elusennol oedd â'r hawl i werthu gwlân crai heb orfod ei anfon i Bradford i'w drin. Roedd e'n wlân caled ond lliwgar. O'r gwlân hwnnw fe fydden ni'n gwau siwmperi *Fair Isle* o'n patrwm ein hunain.
Roedd paratoi ein gwlân ein hunain yn golygu cryn

Frank Jones, un o'r crefftwyr cyntaf i ymuno â'r busnes.

waith. Rhaid oedd cludo'r gwlân i Bradford yn gyntaf. Roedd e'n dod yn ôl wedi'i olchi ac yna fe fydden ni'n ei anfon i ffatri amgueddfaol yn Abertawe. Yno roedd offer hynafol fel peiriannau nyddu, neu *Spinning Jennys* ac fe fydden nhw wedyn yn ei nyddu. Roedden ni wedyn yn ei alw'n *Home Spun Welsh Black Wool*. Fe fydde'r byrnau gwlân yn dod yn ôl yma wedyn, yn edrych yn dda ond yn drewi o arogl defaid. Sut fyddai mynd ati, felly, i werthu nwyddau wedi eu gwneud o'r gwlân drewllyd yma? Fe wnes i greu stori a llunio taflen fach yn dweud mai siwmperi bugeiliaid traddodiadol oedden nhw. Roedden nhw'n dal dŵr ac yn gynnes. Hyd yma roedd popeth yn wir. Ond yna dyma fynd ymlaen i ddweud bod y siwmperi'n gwynto o arogl defaid fel bod y bugail yn medru codi ŵyn bach, a'r rheiny'n cael eu derbyn yn ôl gan y fam gan mai arogl defaid oedd arnynt ac nid arogl dieithr. A dyma dynnu ffotograff o Raymond Osborne Jones gyda'i gi defaid a'i getyn, yn pwyso ar lidiard yn gwisgo un o'r siwmperi. Fe ddaeth y cyfryngau

Y staff tuag at ddiwedd yr wythdegau – Olwen, Gwyneth a Diana – oll yn Gymry Cymraeg – gyda fi a Llywelyn.

yma o bobman i roi sylw i'r stori. Fe aeth y stori drwy Ewrop a draw i America. Fe wnaethon ni werthu'r rhain am flynyddoedd.

Pan gyrhaeddon ni'r pwynt o fedru aros yn agored gydol y flwyddyn fe wnes i gyflogi Ioan Einion. Roedd e'n arbenigo mewn cynlluniau Celtaidd yn cynnwys crysau T a mygiau. Ymhlith ei gynlluniau roedd Pair Ceridwen, Taliesin a Creyr.

Mae amryw wedi gofyn am ddylanwad fy nhad. Roedd e'n ffigwr cenedlaethol, dadleuol a'r cwestiwn a holir yw: a fu ei ddylanwad e'n gymorth i'r busnes? Yr ateb yw na chafodd ei enwogrwydd a'i ddaliadau unrhyw ddylanwad o gwbl ar y busnes. Yn wir, roedd yna lawer iawn heb fod yn ymwybodol fy mod i'n ferch iddo. Mewn gwirionedd, rown i'n falch mai yn Nhregaron oedd y busnes yn hytrach nag yn Aberystwyth fel na allai fusnesa yn y fenter. Wnai e ddim o hynny, wrth gwrs, ond roedd hi'n braf bod allan o Aberystwyth ac eto'n ddigon agos at fy rhieni.

Ar y dechrau roedd gen i deimlad fod fy rhieni braidd yn siomedig am i fi adael y bywyd academaidd a throi at fusnes. Ond roedd fy nhad, yn arbennig, yn medru gwerthfawrogi'r

Geinor, Llywelyn a finne ar ôl i ni ennill gwobr
MW Enterprise ddiwedd yr wythdegau.

cymhelliad y tu ôl i'r penderfyniad, sef fy mod i am fyw mewn ardal Gymraeg a magu fy mhlant yn Gymraeg. Ac unwaith ddechreuais i gael rhyw fath o lwyddiant o'r fenter, fe fu'n gefnogol iawn.

Ychydig cyn iddo farw roedd e wedi gosod hysbyseb am y gemwaith yn y cylchgrawn rhyng-Geltaidd *Carn*. Ac fe ges i ymateb i hynny o America. Fe fu hynny'n un o'r camau bach cychwynnol pwysicaf.

Cyfres o fygiau Yr Anifeiliaid Hynaf o chwedl Culhwch ac Olwen,
cynllun Ioan Einion 1994

Y dwymyn aur

Pan ail-ddarganfuwyd gwythïen aur Gwynfynydd yn yr wythdegau gwelwyd llawer o sôn am hynny yn y wasg ac ar y cyfryngau eraill. Mae cryn ramant yn perthyn i'r fath ddigwyddiad, a lledaenwyd llawer o wybodaeth gyfeiliornus yn ei gylch drwy'r cyfryngau gan gwmnïau masnachol. Yn wir, ymddengys fod ein cenhedlaeth ni'n ymateb lawn cymaint i'r un syniadau ffug-ramantus a ddylanwadodd ar ein cyndeidiau yn y bedwaredd ganrif ar bymtheg. Amlyga hyn, efallai, y drwg cynhenid sy'n canlyn ymdriniaeth dyn a'r metel rhyfeddol hwn ar hyd yr oesoedd.

Yng Nghymru, deillia'r hanes o'r oesoedd cynnar, ymhell cyn Crist, pan fwynwyd aur yma a'i ddefnyddio fel ffynhonnell cyfoeth a grym gan y pendefigion. Anodd credu mai mynydd-dir garw Eryri oedd yr atyniad i'r gyfres o fewnfudwyr a ddaeth wedi hynny i feddiannu ein gwlad. Mwy tebygol o lawer yw mai dod yma i feddiannu ein mwynfeydd wnaeth y Celtiaid, y Gwyddelod, y Rhufeiniaid a'r Sacsoniaid yn eu tro. Onid oedd mwynfeydd aur yn allweddol eto wrth i'r Ymerodraeth Brydeinig feddiannu tir Affrica, America, Awstralia a gwledydd eraill drwy'r byd?

Eto i gyd, mae rhyw atyniad arall gan y metel hwn i'r artist grefftwr, fel i'r bobol gyntefig a'i defnyddiodd gyntaf. Nid ei brinder ond ei harddwch a'i hyblygrwydd arbennig sy'n apelio at y gof wrth lunio gwaith creadigol cain. Mae aur pur yn gyfrwng hynod o hawdd ei drin, yn hardd ynddo'i hun ac yn addasu i bob math o ddulliau gweithio yn nwylo crefftwr medrus.

Ar ddechrau perthynas dyn ag aur, o'i harddwch mewn celfyddyd y tyfodd pwysigrwydd y deunydd. Defnyddiwyd creadigaethau godidog o aur mewn defodau crefyddol yn ymron bob un o wareiddiadau cynnar dyn ar y ddaear.

Gwaith aur Gwynfynydd
(llun: Archifdy Gwynedd, Dolgellau)

Datblygiad naturiol o hynny oedd defnyddio addurn aur fel arwydd o statws a grym cymdeithasol, ac wedi hynny fel cyfrwng masnach. Yn raddol aeth y gweithiau cain yn ddim mwy na darnau o aur â symbolau arnynt, a'r deunydd felly yn gyfrwng masnach pur.

Di-ramant iawn yw darnau bath fel cyfrwng masnach. Pa ryfedd, felly i ramant yr aur barhau ym meddyliau pobol mewn gwahanol ffyrdd? Credai'r Celtiaid a'r Eifftiaid fod iddo rinweddau crefyddol a bod rhyw hud a lledrith arbennig yn dod iddo wrth i'r gof ei lunio. Yng Nghymru, fel yng ngwledydd Prydeinig eraill – ac yn arbennig yn y Taleithiau Unedig – mae apêl arbennig i Aur Cymru, nid yn unig am iddo gael ei gloddio o ddaear Cymru ond oherwydd bod Teulu Brenhinol Prydain yn ei ddefnyddio ar gyfer eu modrwyau personol. Oherwydd hyn, a'r ffaith mai ychydig iawn ohono sydd ar gael, mae iddo werth ariannol uchel ac y mae pobol yn barod i dalu arian mawr am yr hyn yr honnir iddo fod yn Aur Cymru. Yn yr wythdegau roedd aur crai o'r unig gloddfa lle bu mwyngloddio yng Nghymru yn y blynyddoedd diwethaf, sef Gwynfynydd ger Dolgellau, yn costio mwy na phum gwaith gymaint ag aur arall o'r un ansawdd. Ar ben hynny, dim ond nifer bach iawn o ofaint aur breintiedig oedd â'r hawl i'w brynu. Fel Cymraes, gallaf gyfrif fy hun yn ffodus i fod yn eu plith, yn ddim ond un o dri.

Dyma gyfle amlwg felly i farchnatwyr clyfar fedru elwa ar ymateb rhamantus y cyhoedd drwy berswadio pobol i dalu arian am syniad yn hytrach nag am sylwedd. Mae llawer wedi elwa ar werthu'r syniad o Aur Cymreig, o ganol y ddeunawfed ganrif hyd heddiw. Yn sgil hynny lledaenwyd nifer o honiadau ffug sy'n cael eu derbyn yn hawdd a di-gwestiwn gan gyhoedd hygoelus.

Yr amlycaf o'r rhain yw'r honiad fod Aur Cymru'n fwy pinc ei liw nag aur arall, syniad a gychwynnwyd cyn dechrau'r ganrif ddiwethaf. Nid oes angen llawer o synnwyr

Cornel o'r ganolfan yn 1982

cyffredin i sylweddoli'r gwirionedd, sef bod aur pur – fel dŵr pur – yr un lliw o ba ran bynnag o'r ddaear y mae'n tarddu. Ychwanegion ato sy'n newid ei liw, ac wrth baratoi aur ar gyfer llunio gemwaith cymysgir nifer o fetelau eraill gydag ef. Heddiw medrir cymysgu aur gwyn, gwyrdd a glas yn ogystal â phinc. Cyn y Rhyfel Mawr roedd lliw pinc ar y mwyafrif o fodrwyau a darnau gemwaith aur gan wneuthurwyr o Brydain. Ond nid yw pob darn o aur a etifeddwyd o'r cyfnod hwnnw yn Aur Cymreig.

Honiad arall fu'n boblogaidd yn ystod y chwarter canrif ddiwethaf yw bod marc y Ddraig Gymreig ar ddarn aur yn brawf digamsyniol ei fod yn Aur Cymru. Tra gall gwneuthurwyr gemwaith gofrestru marc unigryw i'w osod ar eu cynnyrch, mae'r Ddraig Gymreig yn symbol *nad* yw'n bosibl ei gofrestru. Gan mai symbol heraldaidd yw'r Ddraig, gall unrhyw un osod marc y Ddraig Gymreig ar unrhyw gynnyrch heb i neb arall eu rhwystro. Unwaith eto, ychydig o feddwl synhwyrol sydd ei angen i sylweddoli hyn, pan mae siopau crefft Cymru'n llawn o gannoedd o wahanol gynhyrchion sy'n arddangos marc y Ddraig.

Dim ond gair y gwerthwr, felly, sydd gan y cyhoedd wrth brynu'r hyn y tybiant ei fod yn Aur Cymru. Er hynny, mae'r gyfraith yn amddiffyn y cwsmer i ryw raddau: nid oes hawl nodi disgrifiad anghywir ar nwyddau wrth eu gwerthu. Ac er bod ambell werthwr yn fwriadol gamarweiniol ar lafar, mae camddisgrifiad ysgrifenedig yn drosedd yn llygad y gyfraith. Mae'n bwysig iawn felly i ddarllen pob gwybodaeth ysgrifenedig yn fanwl iawn, gan ystyried bod yr hyn na ddymunir i rywun ei ddarllen yn cael ei ychwanegu'n aml ar y diwedd mewn llythrennau bach.

Yn anffodus, ym myd gemwaith arian ac aur, aeth y defnydd bellach i olygu mwy yng ngolwg y cyhoedd na chynllun a chrefft. Byd masnach a hysbysebu sy'n gyfrifol am hyn i raddau helaeth iawn, ond mae'n creu tipyn mwy o rwystredigaeth i'r cynllunydd sy'n defnyddio'r cyfrwng hwn o'i gymharu â chyfrwng fel pren neu glai.

Fel artist a gof arian ac aur sy'n parchu egwyddorion y crefftwr traddodiadol, mae'n achos tristwch arbennig i fi fod deunydd dihafal fel aur yn cael ei fychanu a'i gamddefnyddio gymaint. Ei brinder, ynghyd â thrachwant dynoliaeth sy'n gyfrifol am y driniaeth hon o un o roddion mwyaf gwerthfawr y ddaear. Ac yn y pen draw, hollol ffug yw'r 'gwerth' a roddir arno. Yn fy marn i nid oes iddo werth mesuradwy. Ac ni ellir mesur gwerth celfyddyd y crefftwr chwaith mewn termau ariannol. Trwy geisio gwneud hynny yn y byd sydd ohono, fe ddinistriwyd yr union hud a lledrith hwnnw a adwaenai Celtiaid yr oesoedd cynt. Onid ymgais i gyffwrdd â'r dimensiwn arall hudol hwn fu gwaith creadigol pob artist ar hyd yr oesoedd? A pha artist mewn gwirionedd all osod pris mesuradwy ar ei waith? Pobl eraill sy'n gwneud hynny, gan ddefnyddio ffon fesur yr oes hon. A bu'n achos dadrithiad a dihoeniad llawer artist talentog cyn hyn.

Yn raddol y datblygodd y gwaith arian, ac wedyn y gwaith aur yn y ganolfan. Dechreuodd y cysyniad o lunio darnau aur ddenu pobl o bell. Ond o ddod i Dregaron, roedd amryw yn disgwyl mwy i'w wneud yma. Fe wnes i gychwyn gyda dulliau a oedd yn mynd yn ôl dair mil o flynyddoedd a mwy. Roedd y camau sylfaenol yn ddigon hawdd eu dysgu allan o lyfrau ac o sgyrsiau â gofaint arian ac aur eraill. Wedyn, ymarfer oedd yn bwysig. Fe fu'n rhaid bod yn bwyllog gan fod plant yn cyrraedd yn rheolaidd.

Ymhlith y themâu cynnar roedd y Cwlwm Celtaidd, Croes Geltaidd, neu Groes Cymru a Chŵn Annwn. Mae'r rhain, yn arbennig Groes Cymru a Chŵn Annwn yn dal ymhlith y nwyddau mwyaf poblogaidd. Yn wir, mae Cŵn Annwn wedi dod yn fath ar symbol ar gardiau a phosteri.

Modrwyau Aur Cymru Rhiannon, y gyfres gyntaf

Comisiynau

Fe gychwynnodd busnes Aur Cymru drwy gwmni aur Clogau Gold plc., nid yr un cwmni â gemwaith Clogau heddiw. Pan wnaethon nhw gychwyn eu busnes roedd ganddyn nhw swyddfa cysylltiadau cyhoeddus effeithiol iawn. Fe roddwyd darn o aur i ni a gofyn i ni greu darn comisiwn ac fe ffilmiwyd y cyfan ar gyfer rhaglen ar S4C. Fe aeth y darn gorffenedig ymlaen wedyn i'r Amgueddfa Ddaearegol Genedlaethol yn Llundain. Pin clogyn Celtaidd oedd y gwaith, tipyn o her. Cynllun ar ffurf pin cau oedd e gydag addurn ar ei frig. Fe wnes i fynd fyny i'r Clogau yn gyntaf am ysbrydoliaeth. Yn dilyn hynny dyma gomisiwn arall gan Clogau yn gofyn am fedal aur ar gyfer côr buddugol yn y Brifwyl, yn cynnwys un owns o aur pur Cymru. Roedd hwn yn brofiad arbennig. Mae aur pur, o'i doddi, yn dod allan o'r fflam yn sgleinio.

Y flwyddyn wedyn, yn 1986 fe ailagorodd gwaith aur Gwynfynydd, a oedd wedi cychwyn nôl yn 1863 ac fe wnaethon nhw ofyn i fi am gynllunio medal. A dyma gyfle i lunio ail fedal o aur pur Cymru.

Yn fuan wedyn, fe wnaeth Gwynfynydd ganfod gwythïen werthfawr o aur. Ceir aur Cymru mewn band sy'n ymestyn o'r Bermo heibio i Ddolgellau ac i fyny am Ffestiniog. Yn wahanol i aur De Affrica, sy'n gymysg â thywod ac sy'n ildio chwarter owns o aur am bob tunnell o dir a fwyngloddir, ceir yr aur Cymreig purach mewn gwythiennau, fel glo, a wnaeth yn y gorffennol ildio i fyny at 30 owns y dunnell. Fe fyddwn i'n prynu aur bryd hynny fesul can gram am £2,000 y tro. Mae pris aur yn gyffredinol yn llawer iawn uwch heddiw, ac aur Cymru'n anhygoel o uchel.

Fe fuon ni'n ffodus i fod yn un o ddim ond tri chwmni i gael cyfle i brynu'r aur. Pan fydden ni'n llunio darnau allan o aur Gwynfynydd fe fydden ni wedyn yn eu danfon i'w marcio'n swyddogol gan y cwmni. Mae hyn yn ddiddorol yn hanesyddol gan mai dyma'r unig dro erioed i'r fath reolaeth lem gael ei defnyddio, gyda'r darnau a grëwyd yn cael eu marcio'n annibynnol. Roedd y fath reolaeth yn sicrhau na allai cwmni anfon yn ôl fwy o aur nag a brynwyd yn y lle cyntaf. Ac roedd y marc swyddogol felly'n gweithredu fel gwarant. Mae'r marciau hyn yn dal i gael eu hadnabod fel *The Welsh Maiden Mark*, gan mai llun bach haniaethol o fenyw Gymreig oedd y marc. Os yw'r marc yma ar ddarn wedi'i wneud o aur, mae e'n gwarantu dilysrwydd. Yn ogystal â'r marc dilysrwydd penderfynais hefyd lunio tystysgrif dilysrwydd i'w gyflwyno gyda phob gwaith o aur Cymru fyddai'n gadael y siop. Dyma'r unig nod dilysrwydd o'i fath erioed ar Aur Cymru.

Mae hyn yn beth da gan fod yna gymaint o ddarnau wedi eu llunio o 'Aur Cymru' sydd ddim yn ddilys. Ar hyn o bryd does yna ddim Aur Cymru crai ar y farchnad ond fe fu gen i ryw gymaint erioed, ac mae gen i ryw gymaint o hyd. Mae'r cwmni newydd brynu'r aur oedd yn weddill o ardal Dogellau. Fi wnaeth brynu'r aur olaf o Wynfynydd hefyd yn yr wythdegau. Roedd yn fenter sylweddol ar y pryd, roedd rhaid crafu pob ceiniog oedd gen i ar y pryd i brynu'r aur pan oedd e ar gael. Fe wnaeth y perchennog ei werthu i fi ychydig cyn iddo farw, a chyn i'r busnes gau ym mis Mehefin 1989. Fe brynais i swm sylweddol o'r aur am bris a oedd eisoes bum gwaith yn uwch na phris aur cyffredin. Mae'r darnau wnes i eu llunio o'r aur hwnnw bellach yn amhrisiadwy. Mae cwmni Rhiannon newydd fentro eto yn yr un modd a buddsoddi hyd yr eithaf yn yr unig aur Cymru hollol ddilys oedd ar ôl wedi i'r mwynfeydd gau.

Canfuwyd gwythïen sylweddol ganrif ynghynt ym mis Chwefror 1889, ac ar gyfer nodi'r canmlwyddiant ym 1989 fe wnes i helpu i gynllunio nifer cyfyngedig o fedalau aur yn

Medal y Dreigiau, y tu ôl a'r tu blaen a wnaed o aur pur Gwynfynydd.

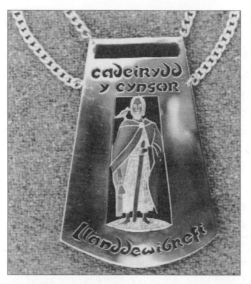

Cadwyn aur i Gadeirydd Cyngor Cymuned Llanddewi-brefi a wnaed ar ddechrau'r saithdegau.

Tlws Mary Vaughan Jones 1994, yr ail gyfres. Yr enillydd oedd W. J. Jones.

arddangos symbolau cenedlaethol fel y Ddraig, Cenhinen Pedr a'r Ddraig ar darian. Gwerthwyd y darnau, a enwyd Medal y Ddreigan am £354 yr un yn enw cwmni marchnata Gwynfynydd, sef Britannia. Dim ond 3,000 a fathwyd ac roedd tystysgrif dilysrwydd yn nodi'r rhif gyda phob medal.

Aur o'r Clogau a Gwynfynydd sydd wedi llunio llawer o fodrwyau Brenhinol dros y blynyddoedd, ond wedi eu llunio gan ofaint aur Brenhinol. Y Fam Frenhines oedd y gyntaf i wisgo modrwy briodas o Aur Cymru yn 1923 wedi i'r Teulu Brenhinol dderbyn talp o aur o'r Clogau. Yna lluniwyd modrwyau priodas o Aur Cymru o'r Clogau a Gwynfynydd ar gyfer y Dywysoges Margaret, y Dywysoges Anne a Thywysoges Cymru, Diana yn ogystal â Thywysoges Efrog yn 1986 wedi i'r Lleng Brydeinig gyflwyno owns o Aur Cymru i'r Frenhines. Allan o'r Aur Cymru sydd gennym ni'n awr y gwnaed modrwyau Tywysog Cymru a Duges Cernyw.

Yn ystod y blynyddoedd fues i mewn busnes mae gwerth aur wedi amrywio'n fawr. Ar hyn o bryd mae e ar ei uchaf, ac aur Cymru'n arbennig o ddrud. Weithiau fe ddaw rhai darnau'n ôl i'w gwerthu'n ail-law, ac mae eu pris nhw'n aillaw lawer yn uwch na'u pris yn wreiddiol pan werthon ni nhw. Dros y deng mlynedd diwethaf rwyf wedi bod yn defnyddio aur Cymru sydd ond yn 10 y cant ac ar gyfer cynlluniau arbennig cyfyngedig. Ac mae llawer o'r rhain eto erbyn hyn yn gwerthu'n uwch yn ail law na phan oedden nhw'n newydd.

Cyn belled ag y mae trin aur Cymru yn y cwestiwn, fe fyddaf yn toddi'r graeanau ar gyfer rholio dalen aur. Does dim modd ei brynu fesul dalen.

Nodwedd aur Cymru yw ei freuder. Ond roedd y profiad o weithio arno wrth ei doddi yn un ysbrydol, bron. Teimlwn yn union fel petai rhyw rym rhyfedd yn tynnu fy llaw allan o'r tân ar yr adeg iawn. Roedd e'n union fel petai rhywun neu rywbeth yn arwain fy llaw.

Fe wnes i ychwanegu at atyniad menter Aur Cymru drwy agor y gweithdy i'r cyhoedd. Fe fyddwn i wrthi'n gweithio a'r cwsmeriaid yn medru gwylio'r holl waith yn cael ei wneud drwy ffenest fawr rhwng y siop a'r gweithdy. Roedd gweld sut oedd y cyfan yn digwydd yn apelio'n fawr. Yn wir, gallai cwsmer wylio darn aur arbennig yn cael ei lunio ac yna prynu'r union ddarn hwnnw.

Fe gychwynnodd comisiynau mewn arian ac aur ddod mewn wedyn, yn arbennig ar gyfer yr Eisteddfod Genedlaethol a Phrifwyl yr Urdd. Byddai'r rhain fel arfer ar ffurf gwobrau am weithiau celf. Yn eu plith roedd Medal Richard Burton, a gomisiynwyd gan ei weddw, Sally. Fe ges i gomisiwn hefyd am wneud tlysau ar gyfer yr Ŵyl Ffilmiau Celtaidd. Un arall diddorol fu saernïo casgliad arbennig i goffau taith Gerallt Gymro.

Derbyniais i gomisiwn diddorol iawn gan gyngarcharorion rhyfel o'r Eidal. Roedden nhw am gyflwyno rhyw fath ar symbol parhaol i'r Eisteddfod Genedlaethol i goffâu eu harhosiad gorfodol yma. Fe'i cynlluniais i fe ar ffurf cylch o ddwylo wedi eu hamgylchynu â weiren bigog o arian.

Yn 1991 fe wnes i gynllunio a llunio cyfres mewn aur ac arian i gyd-fynd ag arddangosfa Y Celtiaid yng Nghymru yn Amgueddfa Genedlaethol Cymru. Fe'u seiliwyd nhw ar ddarganfyddiadau archeolegol o Oes y Celtiaid yng Nghymru a oedd yn rhan o gasgliad yr amgueddfa. Ymhlith y darnau newydd hyn roedd Cath Eryri, Croes Llangyfelach a Tharw Dinorben. Comisiwn diddorol arall fu llunio gemwaith ar gyfer Cynhadledd Canmlwyddiant JRR Tolkien yng Ngholeg Keeble yn Rhydychen yn 1992. Fe dynnodd Tolkien ei ysbrydoliaeth yn ddwfn o chwedloniaeth Geltaidd, a Chymraeg yn arbennig, wrth gwrs a chaiff y Ddraig le amlwg yn ei waith. Yn ffodus rown i'n gyfarwydd iawn â gwaith Tolkien felly doedd dim angen llawer o ymchwil. Roedd hwn yn gomisiwn sylweddol iawn

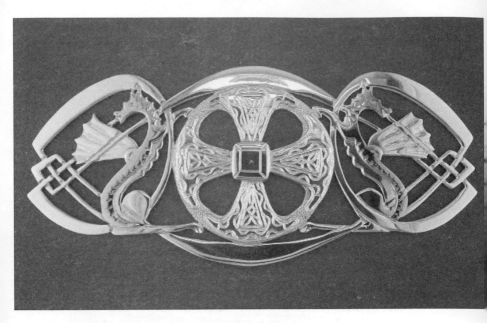

Tlws Archesgob Caergaint

Tlws Mary Vaughan Jones – dau gynllun arall yn y gyfres

a gymerodd chwe mis i'w gwblhau.

Ymhlith enwogion byd-eang a wisgodd emwaith wedi ei saernïo gen i yma yn Nhregaron mae'r Arlywydd Jimmy Carter, y Tywysog Charles, yr Archesgob Desmond Tutu, Archesgob Saltzburg, Archesgob Cymru ac Archesgob Caergaint. Roedd Rowan Williams yn gwisgo gwaeg o'm gwaith i pan orseddwyd ef yn 2003. Fe seiliais i'r tlws ar Broffwydoliaeth Myrddin o'r Mabinogion ac mae'n cynnwys dwy ddraig – un goch ac un wen – gyda chroes Caergaint rhyngddynt.

Dros y blynyddoedd derbyniais gomisiynau o bob math. Yn 1998 comisiynwyd fi gan Gymdeithas Bêl-droed Cymru i lunio tlws newydd mewn aur i enillwyr y Cwpan Gwahoddiad. Y flwyddyn wedyn comisiynwyd fi i lunio cynllun Plu Tywysog Cymru mewn aur ac arian ar gyfer ei osod ar stamp 64 ceiniog, un o bedwar stamp mewn cyfres newydd gan y Swyddfa Bost. Cyfres oedd hon i nodi sefydlu'r Cynulliad a chynllunydd y gyfres oedd Glen Tutsell.

Yn 1989-90 dyfarnwyd i fi Wobr Datblygu'r Canolbarth am Fenter Wledig. Ehangodd hefyd nifer y canolfannau a'r cylchgronau oedd yn gwerthu fy ngwaith, gan gynnwys y catalog dylanwadol *Past Times* a chanolfannau'r Ymddiriedolaeth Genedlaethol ledled Prydain a chanolfannau CADW ledled Cymru.

Yn y cyfamser daeth mwy a mwy o wobrau, rheiny'n gymorth mawr o ran cyhoeddusrwydd. Yn 1992 dewiswyd darnau o'm gwaith ar gyfer Pafiliwn Prydain yn Expo '92 yn Seville ac yng Ngŵyl Gerddi Cymru.

Ganol y nawdegau enillais Wobr Allforio Cymdeithas Allforio Canolbarth Cymru am ddatblygu masnach yn Iwerddon. Enillodd darnau newydd mewn efydd wobr Cynnyrch Newydd Gorau Ffair Cymru 1997 ac yn 1997 lansiwyd cyfres newydd Aur Cymru Rhiannon mewn

Tlws S4C ar gyfer Gŵyl Ffilmiau Geltaidd Llydaw yn 1989

Tlws Heddwch Henllan, Eisteddfod Genedlaethol 1986

niferoedd cyfyngedig nad oedd ar werth ond yn Nhregaron. Datblygiad arall diweddar oedd i un o'r meibion, Gwern, fynd ar gwrs diemwntau. Hwyrach y gwnaf finne a Llywelyn, y mab ieuengaf wneud yr un fath ag ef. Ond o ran aur ac arian, dysgu drwy ymarfer wnes i. Ac yn fy marn i, dyna'r ffordd orau i ddysgu unrhyw grefft go iawn. Mae rhywun yn gwella o hyd wrth wneud mwy a mwy.

Mae pobl yn gofyn i fi a oes gen i fy ffefrynnau. Wel oes, bob tro y gwna'i gynllunio rhywbeth newydd, dyna'r ffefryn am sbel nes daw rhywbeth newydd arall. Ond ymhlith fy ffefrynnau hefyd mae'n rhaid gosod Ceffyl Gwyn Uffington. Fe wnes i gynllunio hwnnw reit ar y dechrau. Mae e'n un o'r delweddau celfyddydol hynaf yng ngwledydd Prydain. Roedd yna rywbeth yn y dehongliad o gynllun hwnnw a roddodd lawer o foddhad i fi. Mae'r ddelwedd, mewn calch ar lechwedd bryn, yn dyddio'n ôl dros 3,000 blynedd i'r Oes Efydd. Yn mesur 374 troedfedd, mae e'n symbol o lwyth o bobl a arferent drigo yn yr ardal yn Swydd Rhydychen rhwng Faringdon a Wantage, y ceffyl gwyn mwyaf o'i fath ym Mhrydain. Mae e'n dal i werthu'n dda.

Gwydryn grisial (cynllun Rhiannon) ar gyfer dathliadau 25 mlynedd 1996

Gweithio ar Dlws Heddwch Henllan 1986

Pwyso a mesur

Er gwaetha holl anawsterau a phryderon y blynyddoedd cynnar, fedra'i ddim dweud i'r fenter ddod yn agos at fethu. Wnes i ddim dod yn agos at roi'r ffidil yn y to. Rown i'n benderfynol, yn enwedig yn y blynyddoedd cynnar, o'r hyn yr own i am ei wneud. Mater o frwydro trwyddi oedd hi. Hyd yn oed pan gawn i fy ngorfodi i siopa am arian drwy fynd o un banc i'r llall, wnes i ddim dod yn agos at fethu. Yn wir, petai pethe wedi mynd i'r gwaethaf rown i'n benderfynol o fynd ati i redeg y lle heb arian, os oedd rhaid. Dyna'r agwedd oedd gen i ar y pryd.

Heddiw mae'r sefyllfa braidd yn wahanol. Mae hwn yn ddirwasgiad drwg. Ar ben hynny rwy ddeugain mlynedd yn hŷn nag oeddwn i pan ddechreuais i. Ac oherwydd i ni dyfu'n fusnes fwy, mae hi'n fwy anodd. Mewn busnes bach, a dim ond y teulu'n rhan ohono, mae hi'n haws brwydro drwyddo. Y gwir amdani yw, mwya'i gyd y trosiant, mwyaf anodd yw dod drwyddi. Mae'r ddwy flynedd diwethaf hyn wedi bod braidd yn arswydus. Mae'r trethi wedi codi'n enfawr a dim cymaint o arian yn dod i mewn. Y mae yna rai arwyddion fod pethe'n gwella'n araf bach.

O ran cwsmeriaid lleol dydi'r dirwasgiad ddim wedi cael fawr ddim effaith. Ond mae pobol yn gyffredinol yn gwario llai. Ond yn rhyfedd iawn mae'r ffaith fod ymwelwyr yn teithio llai, oherwydd y dirwasgiad, wedi golygu fod mwy yn dod i lefydd fel Tregaron.

Fel pob busnes, gorfodir ni i dorri'r brethyn yn ôl y got. Ry'n ni wedi gorfod naill ai gwtogi ar nifer staff neu o leiaf beidio â chyflogi mwy. A'r ofn yw y bydd angen arnom i dorri mwy. Mae hyn wedi golygu fod y teulu wedi gorfod cyfrannu mwy at y gwaith o redeg y lle.

Yn y gorffennol, mae'n debyg mai'r cyfnod gwaethaf fu

2001, o ganlyniad i ddyfodiad Clwy'r Traed a'r Genau. Ac yn arbennig drychineb 9/11 yn ddiweddarach yr un flwyddyn. Fe ddigwyddodd y cyfan ar adeg anffodus. Roedden ni newydd orffen datyblygiad mawr yma o ehangu'r siop. Gyda chymorth Awdurdod Datblygu Cymru fe wnaethon ni wario i fyny at £60,000 ar ailwampio'r lle gan ychwanegu at atyniadau i ymwelwyr yn cynnwys agor gweithdai arddangos a stafell arddangos gemwaith, tair oriel, stafelloedd te, swyddfeydd a stordai. Gwariwyd hefyd dros £40,000 ar beiriannau ac offer trin gemwaith a thua'r un swm ar dechnoleg rhyngrwyd.

Ond ar yr union adeg y dylem fod wrthi'n elwa o'r datblygiad dyma waharddiad ar bobl i symud ac yna dyma drychineb y Ddau Dŵr yn atal Americanwyr rhag dod draw. Dyna ble'r oedden ni gyda siop enfawr ond gwag. Yr hyn a'n cadwodd mewn busnes y flwyddyn honno oedd archebion drwy'r post a thros y we. Roedd y trosiant lawr ugain y cant rhwng y ddau argyfwng. Yn ffodus roedd y cynllun ailwampio yn cynnwys cymhorthdal o £30,000 gan y WDA wedi ei gytuno cyn i'r clwyf daro. Oni bai am hynny mae'n amheus y byddem wedi bod yn barod i ymgymryd â'r fath ddatblygiad. Fe gymerodd tan 2009 i ni cyn i ni weld twristiaid yn dod yn ôl ar yr un raddfa ag y bydden nhw cyn y ddau argyfwng.

Dros yr argyfwng Traed a'r Genau fe fydde pobol yn ein ffonio ni'n gofyn i ni beidio ag anfon catalogau iddyn nhw drwy'r post rhag ofn iddyn nhw ddal y bacteria. Un cymhorthdal mawr gawson ni ar gyfer datblygu. Fe gafwyd un lawer yn llai nôl yn 1986 i greu siop gemwaith o fewn i'r siop. Adran fach oedd hi. Tawn i wedi meddwl, fe fyddwn i wedi ei gwneud hi ddwywaith y maint hwnnw. O fewn llai na blwyddyn roedd hi'n rhy fach. Yn anffodus, yr un yw stori grantiau byth a hefyd. Roedd gofyn i ni godi swm ein hunain yn cyfateb i swm y grant, a gwario'n ychwanegol i fodloni gofynion y grant. Fe fedren ni fod wedi gwneud bron iawn yr un gwaith â'n harian ein hunain.

Mae gen i rai syniadau pendant o hyd am y dyfodol. Mae un wedi bod yn cyniwair ers blynyddoedd. Erbyn hyn rwy bron iawn wedi llwyddo i gael cefnogaeth gweddill y teulu. Y syniad yw agor math ar amgueddfa o emwaith a gwaith metel Celtaidd yma a'i gosod allan o safbwynt celf yn hytrach na hanes. Hynny yw, amgueddfa gelfyddyd Geltaidd gan ddangos y gweithie o safbwynt artistig.

Dros y blynyddoedd rwy wedi creu casgliad o greiriau Celtaidd, rhai efydd yn bennaf ond ambell ddarn arian neu aur hefyd. Maen nhw'n mynd nôl i gyfnod cyn Crist i niwloedd hanes. Creiriau gwreiddiol yw'r rhain. Mae gen i gyswllt teuluol sy'n prynu'r rhain ar fy rhan i. Yn aml iawn rwy'n ddigon ffodus i gael y dewis cyntaf. Creiriau Ewropeaidd, yn cynnwys gwledydd Prydain yw'r rhan fwyaf. Fedra'i ddim fforddio'r rhai drutaf, yn naturiol. Mae'r amgueddfeydd yn cipio'r rheiny. Yn wir, mae gen i gasgliad reit dda, rhai darnau gwell na llawer ydw i wedi eu gweld yn yr Amgueddfa Genedlaethol. Fe fyddwn i felly yn arddangos y creiriau ynghyd ag esbonio hanes y Celtiaid yn ogystal ag esbonio hanes mwyngloddio metalau. Fe fedren i wneud hyn drwy ddefnyddio un o'r orielau celf yn y siop.

O ran arddangosfeydd fe wnaethon ni redeg rhai ein hunain i ddechre. Yn nes ymlaen fe wnaethon ni logi lle i gymdeithas o artistiaid lleol ar draws y ffordd yn y tŷ ac yma yn y ganolfan. Erbyn hyn mae'r oriel nôl yn ein dwylo ni eto. A'r gobaith yw trefnu arddangosfeydd ein hunain unwaith eto gan wahodd gwahanol artistiaid i arddangos yma. Mae gwaith artistiaid lleol yn gwerthu'n dda iawn ar hyn o bryd.

Bydd amryw yn gofyn i fi i ba raddau y llwyddais i gyflawni'r weledigaeth wreiddiol, i wireddu'r freuddwyd. Mae e'n gwestiwn anodd i'w ateb. Cyn belled ag y mae'r gemwaith yn y cwestiwn rwy'n teimlo fy mod i. Ond mae'r weledigaeth o'r ganolfan wedi gwyro oddi ar y llwybr. Dyw hi ddim yn gymaint o ganolfan Cymreictod ag yr hoffwn i fod wedi ei gweld hi'n ymgyrraedd ato. Hynny yw, dydi hi ddim yn gwerthu Cymreictod fel oedd hi. Fe fyddai'n well gen i fynd yn ôl at hynny.

Y plant sydd wedi dylanwadu ar y newid. Maen nhw'n ifanc ac yn ceisio mynd yn fwy masnachol. Hwyrach eu bod nhw erbyn hyn yn fy ngweld i'n hen ffasiwn, a'u bod nhw'n ddilornus o'r hyn oedd gen i mewn golwg yn y lle cyntaf.

Cwestiwn arall a gaiff ei ofyn yn aml yw a fyddwn i, o gychwyn unwaith eto, fod wedi mynd ati i wneud pethe'n wahanol. A'r ateb yw na, dydw'i ddim yn credu y byddwn i. Fe allwn i fod wedi mynd ar hyd ffordd wahanol, fe allwn i fod wedi mynd yn fwy masnachol drwy ddatblygu ar ffurf ffatri a gwerthu nwyddau wedi eu masgynhyrchu. Ond na, rown i am dynnu llinell drwy unrhyw syniad o'r fath. Fe wnâi pwynt gael ei gyrraedd pan fyddai'r darnau, o beidio â chael eu creu â'm dwylo fy hunan, yn troi yn bethe hollol wahanol. Doeddwn i ddim felly am gerdded y llwybr yna, ac rwy'n dal i deimlo felly o hyd.

I fi, mae dal i gynllunio ac i lunio fy ngwaith fy hunan yn dal yn bwysig. Rydym ni'n parhau, wrth gwrs, i fod yn ffenest siop – yn llythrennol – i grefftwyr eraill. Wrth gwrs, mae gwaith pobl eraill yn bwysig i ni hefyd. Ar hyd y blynyddoedd mae yna gannoedd o grefftwyr wedi bod ar ein llyfrau. Mae'n anodd gosod rhif pendant gan fod yna gymaint o fynd a dod ymhlith crefftwyr ac artistiaid. Ychydig sydd wedi bod gyda ni am flynyddoedd maith. Mae'n rhaid bod o leiaf gant o gyflenwyr ar y llyfrau'r un pryd. Beth bynnag, dydw'i ddim yn ymwneud â'r weinyddiaeth bellach. Rwy'n medru rhoi fy holl amser i greu.

Mae hynny'n golygu canfod syniadau a chynlluniau newydd, wrth gwrs. Fe all hynny fod yn anodd, yn arbennig pan fod gen i lwyth o waith, a gorfod canolbwyntio ar

Rhai o orielau modern y Ganolfan heddiw

Y siop newydd wedi'r ailwampio cyntaf yn yr wythdegau.

Golygfeydd o'r siop heddiw

gynhyrchu. Does fawr ddim amser bryd hynny i fynd ati i greu cynlluniau newydd. Ar y cyfan mae'r syniadau'n dal i lifo, ac rwy'n hyderus y medra'i ganfod syniadau yn ôl y galw. Weithiau fe fydda i'n synnu fy hunan.

Mae'n rhaid ein bod ni wedi gwneud rhywbeth yn iawn gan i wahanol wobrau ddod i ni bron yn flynyddol, yn enwedig yn y cyfnod canol. Ymhlith y gwobrau sydd wedi dod â'r pleser mwyaf mae'r rheiny a ddaeth fel cydnabyddiaeth o'n gweinyddu busnes drwy'r Gymraeg a'n gwaith mewn llunio gwefan dwyieithog.

Petawn i'n gorfod dewis un llwyddiant goruwch pob un dewiswn fedru cyflenwi deunydd o safon i gynifer o wledydd. Mae'r gwledydd hynny'n tueddu i fod yn wledydd lle mae yna nifer o drigolion o dras Gymreig fel y Taleithiau Unedig, Canada, Awstralia, Patagonia, wrth gwrs, ac Ewrop yn gyffredinol. Mae Japan hefyd yn wlad lle gwelwyd twf ymhlith nifer ein cwsmeriaid.

Mae dyfodiad y we wedi gweddnewid y farchnad i raddau helaeth. Mae mwy a mwy o'n cwsmeriaid nawr yn unigolion sy'n prynu oddi wrthon ni'n uniongyrchol.

Mae'r plant i gyd, yn eu tro, wedi chwarae eu rhan yma. Yn wir, fe wnaethon nhw ill pedwar gychwyn yn nyddiau ysgol. Tra bod y plant yn tyfu roedd rhaid iddynt fod gyda mi, ac yn naturiol roeddent yn awyddus i 'helpu' o oedran ifanc iawn. Roeddem yn byw uwchben y siop pan oedd Geinor a Llywelyn yn fach, ac yn aml byddai grwpiau yn ymweld â'r Ganolfan gyda'r nos. Er mwyn eu cadw'n brysur roedd Geinor yn cael gwerthu a lapio nwyddau, a Llywelyn yn y gweithdy yn paratoi darnau gemwaith. Roedd Llywelyn yn medru defnyddio dril yn bump oed, ac roedd Geinor yn siŵr o werthu rhywbeth i bob un pan ddôi Merched y Wawr i ymweld. Erbyn oedran ysgol uwchradd roeddent yn cyfrannu'n helaeth i waith y busnes, y bechgyn yn cynhyrchu gemwaith, a Geinor yn gwerthu yn y siop. Roedd

Ifan yn cael ei dalu yn ôl y cynnyrch, ac wedi gweithio bob gwyliau tra oedd yn yr ysgol a'r coleg daeth yn grefftwr gwell a chyflymach na fi ar rai o'r prosesau.

Roeddent hefyd yn gweithio ar ein stondin yn yr Eisteddfod Genedlaethol bob blwyddyn, lle byddwn hyd heddiw yn ei redeg fel teulu; yn wir, bu Llywelyn ym mhob eisteddfod ers cyn dechrau'r ysgol.

Ar un adeg roedd llawer o'u ffrindiau, bechgyn a merched yn eu harddegau, yn gweithio ar stondin Rhiannon, a llawer eisteddfodwr selog yn meddwl bod gennyf lawer mwy na phedwar o blant!

Mae rhedeg busnes a magu plant ar yr un pryd yn medru bod yn dipyn o her. Cofiaf un diwrnod gŵyl y banc yn arbennig. Roedd Geinor yn ddwy oed a minnau'n edrych ar ôl pedwar oen bach amddifad, newydd-anedig yn y tŷ, a doedd dim staff yn y siop. Doedd dim amdani ond mynd draw i'r siop i gyd, gan wybod na fedrwn ddod allan wedyn cyn amser cau. Rhoddais y pedwar oen a Geinor mewn bocs mawr pren wrth y cownter a mynd a digon o boteli llaeth am y diwrnod. Roedd Geinor wrth ei bodd, yn bwydo poteli i'r ŵyn yn eu tro ac yn siarad â'r cwsmeriaid, a dyna'r atyniad gorau i ymwelwyr a welwyd erioed yn Siop Rhiannon.

Ffaith ddiddorol arall yw i'r pedwar hefyd fynychu Coleg Llanymddyfri. Nid polisi bwriadol fu hyn ond rhywbeth a ddigwyddodd ar hap, bron iawn. Roedd Ifan, yr hynaf yn gwneud yn dda yn yr ysgol gynradd, ond ambell flwyddyn byddai ef a Gwern yn yr un dosbarth. Bob tro byddai'r ddau yn yr un dosbarth, byddai Gwern yn mynd i waelod y dosbarth. Bob tro y bydden nhw'n gwahanu, byddai'n mynd i dop y dosbarth. Erbyn i Ifan ddod i'w flwyddyn olaf ond un roedd e wedi mynd drwy bopeth fedre fe. Fe wnes i gais am iddo fe gael mynd i'r ysgol uwchradd yn gynnar. Gwrthodwyd. Yna dyma Mam yn digwydd sgwrsio â'r Dr Brinley Jones Warden Coleg Llanymddyfri. 'Dewch

Darn hynafol o waith y Celtiaid
– gemwaith coler ceffyl

Braslun ar gyfer un o
gynlluniau Rhiannon

Ymestyn y siop ar y sgwâr

*Troad y Rhod mewn aur a grëwyd ar gyfer lansiad 'Opra' ym
Mhontrhydfendigaid*

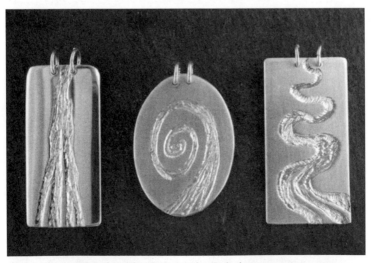

Gemwaith cyfoes Rhiannon – cyfres 'Afon' mewn aur ac arian

â'r crwt i de,' medde fe. Fe aethon ni lawr, ac fe gynigiodd iddo ysgoloriaeth yn y man a'r lle.

Am fod Ifan wedi mynd roedd y lleill am fynd yno. Fe wnaeth y bechgyn eraill ennill ysgoloriaethau hefyd – fyddwn i ddim wedi medru fforddio'u danfon nhw yno fel arall. Yn hanes Geinor, bu'n rhaid i ni dalu am y Chweched yn unig. Mae hi'n dal i ddweud mai dyna'r peth gorau wnaeth ddigwydd iddi erioed.

Mae pethe wedi datblygu llawer yng Nghymru dros y deugain mlynedd diwethaf. Fe hoffwn i gredu fy mod i wedi gwneud rhyw gymaint i hybu celf Geltaidd. Ar hyn o bryd yng Nghymru rwy'n gosod ar y brig John Meirion Morris. Mae ei waith e'n waith ysbrydol iawn. Mae e'n dweud ei hunan nad yw'n gwybod weithiau o ble mae'r ysbrydoliaeth yn dod. I fi, mae yna naws Geltaidd dilys i'w waith. Rwy wedi prynu rhai o'i weithiau. Fe hoffwn i fedru fforddio prynu llawer mwy.

Mae rhywun sy'n trochi ei hunan yng ngwaith a hanes y Celtiaid yn debygol o ddod dan eu dylanwad mewn ffordd ysbrydol. Mae yna sôn am yr awen mewn barddoniaeth. Mae hi'n bod mewn celf hefyd. Roedd yr awen yn rhan bwysig o gelf y Celtiaid, yr ysbrydoliaeth honno oedd yn sbarduno gwaith celf. Rhyw ddealltwriaeth o'r byd ysbrydol. Ac mae hynna'n amlwg yng ngwaith John Meirion Morris. Mae e fel petai mewn cysylltiad â'r byd arall, a hynny'n fwy na fi. Fe fydda i'n aml yn gorfod gofyn am i'r awen alw heibio. Ond mae hi fel petai'r awen yn dod ato ef wrth iddo ddihuno yn y bore.

Mae angen pwysleisio eto nad sôn am efelychu a chopïo ydw i. Dydw'i ddim yn hoffi hynny. Y mae yna adegau'n dod pan mae rhywun yn gofyn am gopi. Mae'r Cwlwm Celtaidd, er enghraifft, yn boblogaidd iawn. Ac mae'n rhaid i fi, ar adegau, greu rhai tebyg i'r gwreiddiol er mwyn cynnal y busnes. Ond fe fydda i'n ceisio creu o'r newydd gan

Dathlu 25 mlynedd yn 1996 gyda Hergwd yn perfformio y tu allan i'r siop

ddefnyddio'r un ysbrydoliaeth a'r arferion a ddefnyddiwyd gan y Celtaidd dros y canrifoedd. Hynny yw, fe allan nhw fod yn debyg, ond ddim yn gopi.

Mae'r gelfyddyd Geltaidd hefyd ynghlwm wrth grefydd, fel y mae pob celfyddyd fawr drwy'r byd. Dyna i chi'r Eifftiaid, yr Affricanwyr, y Groegiaid – unrhyw un – trigolion brodorol Awstralia yn arbennig yn ein dyddiau ni – mae yna elfen ysbrydol ynddyn nhw i gyd. Er bod clymwaith yn cael ei ystyried yn rhywbeth Celtaidd, rhywbeth o gyfnod oes aur yr Eglwys Geltaidd, dylanwad crefyddol ar gelfyddyd Geltaidd yw hyn. Defnyddiwyd clymwaith pan oedd yr hen lawysgrifau'n cael eu haddurno, fel Llyfr Kells, er enghraifft. Ond roedd y syniad yma o'r llinyn diderfyn, yn cynrychioli bywyd tragwyddol, yn troi mewn cylchoedd, yn rhan bwysig o gredo'r Celtiaid, felly mae e'n berthnasol. Y symbolau sydd wedi bod yn rhan o gelfyddyd y Celtiaid o'r dechre yw nodau cyfrin fel y Trisgell, patrymau arddulliedig o adar ac anifeiliaid, y cyfan wedi goroesi ar ôl tair mil o flynyddoedd.

Mae'n ddiddorol faint o weledwyr sy'n dal i ymarfer eu dawn yn y gwledydd Celtaidd o hyd, er gwaetha'r cynnydd honedig mewn diwylliant. Mae yna bobol o hyd sy'n gweld Tylwyth Teg. Mae yna fwy fyth sy'n derbyn fod y byd hud a lledrith yn bod.

Rwy'n parhau i chwilio am y profiadau ysbrydol hyn. Yn aml ar Galan Gaeaf fe fyddai'n mynd i ben Bryn Cysegrfan, ar yr hen ffordd Rufeinig o Gellan i Ffarmers. Mae yno gylchoedd cerrig, ac mae e'n llecyn lle bydd rhai o ddilynwyr yr Oes Newydd yn mynd er mwyn cael profiadau ysbrydol.

Un tro roedd criw ohonyn nhw yno, ac yn creu tipyn o sŵn. Doeddwn i ddim yn hapus iawn gan fod Gŵyl Calan Gaeaf yn ŵyl grefyddol. Fe wnes i ddweud hynny wrthyn nhw, ac fe wnaethon nhw dawelu. Ar y ffordd i lawr roedd hi'n niwlog. Wrth i fi eu pasio, fe godais fy llaw yn y niwl a dweud, 'Hawddamor, gyfeillion!' Fe wnaethon nhw ateb, braidd yn ddryslyd, 'Nos da!'

Yn dilyn hynny, fe fydde rhyw fenyw'n dod i mewn i'r siop i ofyn amdana'i. Bob tro rown i'n digwydd bod allan. Fe fydde Gwyneth, a oedd yn rhedeg y siop, yn gofyn iddi beth oedd ei neges. Ei hateb hi oedd, 'Tell her the Raven sent me'.

O'r diwedd fe ddigwyddais i fod yno pan alwodd hi. A dyma ganfod iddi fod ymhlith y criw oedd ar Fryn Cysegrfan y noson arbennig honno. Dyma hi'n fy ngwahodd i'w chartref i sgwrsio am y traddodiad Celtaidd yng nghanol cynhadledd o fenywod. Fe fu un yn sôn am y traddodiad brodorol Americanaidd. A dyma finne'n ei dilyn i sôn am y Celtiaid. Yn rhyfedd iawn roedd hi'n byw mewn tŷ o'r enw Pant-y-brain. Ac roedd hi'n mynnu fod cigfran yn galw i'w gweld hi'n rheolaidd. Doedd ganddi ddim syniad o arwyddocâd enw'i chartref a'r frân. Ond y frân honno oedd wedi ei harwain ata i!

Y flwyddyn wedyn ar Nos Calan Gaeaf fe ofynnwyd i fi gynnal seremoni Gymraeg. Roedd gen i lawer o lenyddiaeth ar seremonïau'r Celtiaid, felly fe wnes i fynd ati i gyfieithu rhai o'r defodau gan ychwanegu ambell ddarn o'r Mabinogion ar gyfer y seremoni. Fe wnes i fynd ati braidd yn ysgafn, gyda thafod mewn boch. Ond fe wnaethon nhw gymryd at y seremoni'n hollol ddifrifol. Doedden nhw ddim wedi profi'r fath beth erioed. Roedd Geinor, y ferch gyda fi. Fe gafodd honno ofn!

Gweledigaeth Llywelyn

Yn Llanymddyfri fe wnes i astudio'n arbennig Gymraeg, bioleg a chyfrifiaduraeth. Bryd hynny doedd gen i ddim syniad y byddwn i'n dychwelyd i redeg y ganolfan yn Nhregaron. Yn wir, doedd gen i ddim syniad beth fyddwn i'n ei wneud. Yr unig bosibilrwydd y gwnes i ei ystyried oedd mynd yn filfeddyg.

Ar ôl gadael Llanymddyfri fe ges i ddamwain car. Dyna ddiwedd, felly ar y syniad o gwneud cwrs gradd mewn cyfrifiaduraeth yn Aberystwyth. Fe olygodd y ddamwain na fedrwn i chwaith chwarae rygbi, ergyd fawr i fi, ac fe fues i mewn limbo am sbel. Er mwyn dal y slac yn dyn fe fues i'n fownser am rai blynyddoedd, yn gweithio'r drysau fel petai.

Rown i wedi bod dan draed Mam yn y siop ers pan own i'n bedair oed. Yn y gweithdy fyddwn i'n treulio'r rhan fwyaf o'm hamser. Ac yn y gweithdy y gwnes i ddechre pan ddes i yma i weithio o ddifrif. Yn raddol fe wnes i ddod allan o'r gweithdy i weithio yn y siop fel rheolwr.

Rhyw fynd a dod oeddwn i. Fe wnes i adael am tua chwe mis cyn dod nôl am flwyddyn arall. Yna, pan adawodd Ifan am Gaerdydd fe wnes i gymryd ei swydd ef fel cyfarwyddwr rheoli. Fi, felly, yw wyneb y cwmni.

Yn anffodus fe ddes i mewn i'r swydd adeg dechrau'r dirwasgiad. Yn rhyfedd iawn mae mwy o ymwelwyr yn galw nawr. Mae hyn yn rhannol am fod cymaint yn penderfynu peidio mynd ar wyliau tramor. Ond mae e hefyd oherwydd i ni gael haf cymharol dda. Doedden ni ddim wedi cael haf go iawn ers

Gemwaith Rhiannon

pedair blynedd.

Ymateb pobol sy'n wahanol. Doedd pobol ddwy flynedd yn ôl yn gweld dim byd mewn gwario hanner canpunt. Doedd hynny'n ddim byd mwy nag arian poced iddyn nhw. Nawr maen nhw'n meddwl llawer yn hwy cyn mynd i'w pocedi.

Cwmni cyfyngedig sydd ganddon ni ar hyn o bryd. Mae ganddon ni'r plant gyfranddaliadau yn y busnes. Mae Mam wedi ystyried gwneud rhywbeth ar y cyd gyda chorff fel Cyngor y Celfyddydau gan greu rhyw fath ar ffenest siop i Gymru a'r byd. Ond os awn ni i'r gwely gyda chorff arall, byddwn yn gwneud hynny yn ôl eu rheolau nhw. Fe fyddai'n dwylo ni wedi eu clymu. Fyddai'r Ganolfan hon ddim yr hyn ydi hi petai ni wedi dibynnu ar grantiau.

Fe wnaeth dyfodiad Clwy'r Traed a'r Genau ynghlwm â thrychineb Efrog Newydd effeithio'n andwyol iawn arnom; yr ail, hwyrach, yn waeth na'r cyntaf. Dros nos fe beidiodd Americanwyr â hedfan.

Fe fydden ni'n derbyn Americanwyr fesul cannoedd bob blwyddyn. Erbyn hyn maen nhw nôl.

Yn ffodus roedd ein harchebion post ni a'n harchebion dros y we tua hanner cant y cant o'n holl werthiant. O ran nifer yr eitemau, yn hytrach na mynd ar sail gwerth, roedd e lawer yn uwch na hynny. Dyw rhywun ddim yn gwerthu eitem gwerth ddwy fil o bunnau drwy'r post yn aml iawn.

Mae ganddon ni ar hyn o bryd gant neu fwy o gyflenwyr sy'n gwerthu drwy'r siop. Tua dwsin o'r rheiny sy'n gwerthu'r prif gyflenwadau. Mae rhai wedi bod gyda ni ers blynyddoedd. Mae yna newid wedi bod ar raddfa fwy lleol. Does yna ddim trwch o grefftwyr Cymraeg yn y cylchoedd hyn bellach. Mae'r rhai sydd yn creu yn lleol, fel Dafydd Davies o Landdewi-brefi, sy'n llunio ffyn, yn cyflenwi eu cwsmeriaid eu hunain. Mae ganddyn nhw eu harchebion eu hunain i'w cyflenwi a does ganddyn nhw ddim amser i gyflenwi ar ein cyfer ni hefyd.

Y newid mwyaf yr hoffwn i ei weld yn digwydd dros y blynyddoedd nesaf fyddai moderneiddio. Mynd ychydig yn fwy proffesiynol. Mae Mam yn ei chwedegau. Mae angen creu cynllun addas ar ei chyfer hi wrth iddi wneud llai. Mae angen iddi gael dewis a dethol beth yr hoffai ei wneud.

Y broblem fawr yw bod y cyfan ynghlwm i'r sefyllfa sy'n bodoli yn Nhregaron. Dros yr ugain mlynedd diwethaf mae Tregaron wedi bod yn dirywio. Pan own i'n grwt roedd Tregaron yn byrlymu. Heddiw does fawr ddim ar ôl. Oes, mae dau gigydd gwych gyda ni. A ninnau. Rwy'n gobeithio fod pethe'n dechrau troi. Mae datblygiad Clos Twm Siôn Cati yn mynd yn ei flaen ger y sgwâr. Ac mae yna ddatblygiadau newydd yn y Talbot.

Gwesty'r Talbot: mesurydd llwyddiant Tregaron

Y Talbot fu baromedr Tregaron erioed. Pan mae'r Talbot yn llewyrchus mae Tregaron yn llewyrchus. Pan mae'r Talbot ar i lawr, mae Tregaron ar i lawr. Yn y gaeaf mae'r broblem fwyaf pan mae pethe'n dawel yma. Fe fydden ni'n arfer cyhoeddi ein catalog blynyddol cyn y gaeaf ar gyfer y Nadolig. Felly, er bod y siop yn dawel, fe fyddai'r post yn brysur. Dyw hynny ddim wedi digwydd ers pedair blynedd.

Am y dyfodol, petai gen i arian i'w wario nawr, fe fyddwn i'n agor siop arall yn un o'r arcêds yng Nghaerdydd neu mewn hen adeilad yno wedi ei adnewyddu. Fe fyddai ar sail fersiwn lai o Siop Rhiannon yn canolbwyntio ar y gemwaith.

Rwy'n byw nawr yng Nghapel Madog lle'r wy'n briod gyda phlentyn ar y ffordd. Fferm teulu'r wraig, Sioned yw hi gyda defaid a deg ar hugain o wartheg godro. Mae hi a'i thad yn ffermio yng Ngellinebwen. Mae sôn mai Gelli-Gwyneb-Owain oedd yn wreiddiol. Fe fydda i'n helpu allan ar y fferm. Dw'i ddim yn hoffi bod ynghlwm wrth y ddesg drwy'r dydd, bob dydd.

Ar hyn o bryd yn y siop ry'n ni'n cyflogi deg yn llawn amser a thua'r un faint yn rhan amser. Ry'n ni wedi gorfod torri nôl rywfaint, ond ag ystyried y sefyllfa ariannol yn gyffredinol, dydi pethe ddim yn ddrwg o ran staffio.

Ein problem fwyaf, hwyrach, yw mai Aur Cymru yw ein prif atyniad o hyd ond rwy'n teimlo fod rhai cwmnïau eraill wedi niweidio'r brand i'r fath raddau fel ei fod e'n ein bwrw ni. Er ein bod ni'n creu darnau gwahanol gydag aur gwahanol, mae e'n dal yn seici pobol. Oherwydd bod eraill wedi penderfynu mynd lawr y farchnad, mae llawer yn meddwl ein bod ni wedi gwneud yr un peth. Aur Gwynfynydd, ac aur a achubwyd o'r afonydd fel Afon-wen a Mawddach sydd ganddon ni. Dair blynedd yn ôl fe wnaethon ni redeg mas yn llwyr ond fe lwyddon ni i brynu kilo'n ychwanegol. Ond fe tuon ni am tuag wyth mis heb Aur Cymru o gwbwl.

Mae yna hen ddywediad sy'n mynnu fod yna ffortiwn fach i'w gwneud o fwyngloddio aur, ond yn anffodus mae angen ffortiwn fawr arnoch chi cyn cychwyn.

Gweledigaeth Gwern

Cyn dod yma i weithio go iawn fe wnes i, ar ôl gorffen yng Ngholeg Llanymddyfri, fynd i Goleg Iesu, Rhydychen. Yn Llanymddyfri fe wnes i geisio dilyn cwrs mor eang ac amrywiol â phosibl. Yna, yng Ngholeg Iesu fe wnes i astudio Hanes. Wedyn, ar ôl tair blynedd fe dreuliais i flwyddyn yn y Brifysgol yn Aberystwyth yn astudio Hanes Cymru a blwyddyn wedyn yn y Brifysgol yn Llambed yn astudio Archaeoleg tra'n gweithio rhywfaint yma yn y siop.

Mae gen i fab sy'n unarddeg oed, ac mae e nawr wedi dechre gweithio yma adeg y gwyliau. Ac fe wnaeth Geinor fy atgoffa'n ddiweddar o'r ffaith y byddai hi, pan oedd hi'n unarddeg oed, yn arfer gweithio bob dydd Sadwrn.

Rwy'n byw yn Llanbadarn gyda fy mhartner, Alexandra a dau fab, Joshua, sydd newydd gychwyn yma, a Solomon, sy'n newydd-anedig. Fe ddes i yma fel cyfarwyddwr ddiwedd y nawdegau, ond mewn gwirionedd rwy wedi bod yma ers chwarter canrif, gan ddechre fel plentyn ysgol. Roedd Mam yn credu y dylen ni gael ein torri mewn yn ifanc.

Dim ond ar ddau ddiwrnod yr wythnos fydda i yma fel arfer. Fel Llywelyn, fe fyddwn i'n dweud mai'r argyfwng ariannol presennol yw'r gwaethaf yn hanes y cwmni. Ond mae'n anodd ei gymharu ag unrhyw gyfnod arall gan ei fod e ar raddfa wahanol. Mae'r cwmni wedi datblygu cymaint dros ddeugain mlynedd. Ond yn sicr, dyma'r cyfnod anoddaf ry'n ni wedi gorfod ei wynebu.

Y gwahaniaeth rhwng nawr â chyfnod Clwy'r Traed a'r Genau a thrychineb Efrog Newydd oedd i'r

Siop y Ganolfan heddiw

argyfyngau hynny – yn enwedig y Clwy'r Traed a'r Genau – gael eu hanghofio'n gyflym. Mae hwn yn mynd i bara dros dymor hir. Oes, y mae yna rai arwyddion addawol, ond bach iawn ydyn nhw.

Un peth wnes i o ddod yma oedd manteisio ar y cyfle i ddilyn cwrs ar ddiemwntau yn Antwerp. Cwrs byr yn para wythnos oedd e, ond roedd e'n gwrs dwys. Golygai graffu ar gannoedd ar gannoedd o ddiemwntau o wahanol raddau a gwerth bob dydd drwy'r dydd nes llwyddo i ddod i adnabod y lliw a'r safon. Roedd e'n gryn straen syllu drwy chwyddwydr ar y cerrig am oriau bwy gilydd. Rown i'n gweld diemwntau yn fy nghwsg.

Ond fe fu'r cwrs yn fuddiol. Fe wnaethon ni, o ganlyniad i'r cwrs, ddechre llunio tlysau yn cynnwys diemwntau. Roedd e felly'n elfen ychwanegol i'r rhychwant o ddarnau sy'n cael eu cynhyrchu a'u gwerthu yn y Ganolfan.

Fe wnes i adael y siop am gyfnod wedyn a newydd ddod nôl o ddifrif ydw i. Fe dreuliais i gyfnod yn y sector siwdo gyhoeddus yn Aberystwyth gyda Menter Mynyddoedd y Cambrian. Ond ches i ddim blas gweithio'n y sector cyhoeddus, felly fe ddes i nôl. Hwyrach y caf fi gyfle nawr i ail-gydio yn y diddordeb mewn cerrig gwerthfawr. Rhowch y sector breifat i fi unrhyw amser. Yr esboniad, yn ôl Mam, yw fy mod i'n amharod i weithio i unrhyw un arall! Yn y swydd arall roedd yna'r hyn a elwir yn wahaniaethau strategol yn dueddol o godi rhyngof fi a'r pwerau.

Un wers bwysig wnes i ei dysgu yn y sector cyhoeddus oedd y ffaith nad oedd gen i ddim diddordeb mewn gweithio yn y sector hwnnw. Ond mae gen i bob math o gynlluniau ar y gweill nawr o ran y busnes. Y prif ddymuniad, wrth gwrs, yw gweld y cwmni'n dod yn eithriadol o lwyddiannus. Ry'n ni wrthi'n cynllunio ar hyn o bryd gyda mam wrthi'n paratoi rhyw fath ar ddatganiad cenhadol. Y bwriad nawr fydd paratoi dogfen a'i dosbarthu ymhlith holl aelodau'r staff. Fe fydd gan y staff, yn naturiol, gyfle i gynnig adborth.

O ran nod a thargedau'r cwmni, dydi'r rheiny ddim wedi newid. Dal i ddarparu nwyddau o'r safon gorau o fewn gweinyddiaeth Gymraeg – dyna'n syml beth yw hwnnw. Ry'n ni am fod yn wahanol nid yn unig drwy weinyddiaeth Gymraeg ond hefyd drwy greu cynllunwaith cryf. Ydyn, rydyn ni mewn rhyw fath o gilfach economaidd ar hyn o bryd, fel pawb arall, ond rhaid gwneud y gorau o'r gwaethaf.

Un peth yw dymuno gweld tyfiant, ond rhaid iddo fod yn dyfiant organig. Byddai troi o fod yn gwmni cyfyngedig yn gweddnewid natur y cwmni'n llwyr.

Dros y tymor byr a'r tymor canolig fe fyddwn ni'n edrych yn fanylach ar y gwerthiant drwy'r post a'r gwerthiant dros y we. Ond yr athroniaeth syml yw sicrhau fod yr hyn fyddwn ni'n ei ddarparu o'r safon uchaf posibl. Mae hynny'n ddigyfnewid.

Un peth wnaethon ni ei ystyried yn ddiweddar oedd creu marchnad ail-law o gynnyrch Rhiannon ein hunain. Mae gwaith Rhiannon o'r saith a'r wythdegau, neu ddarnau'n cynnwys Aur Cymru'n drysorau bellach. Os oes yna rywun am ddod â nhw'n ôl, fe fedren ni wedyn eu prynu nhw'n ôl a'u gwerthu nhw ymlaen yn y siop.

Os oes tystysgrifau dilysrwydd gyda'r darnau, gorau i gyd. Ond dydi hynny ddim yn holl bwysig. Mae nod dilysrwydd Rhiannon neu Aur Cymru'n ddigon. Mae'r dilysnod yn ddigon. Ond os yw'r dilysnod wedi treulio tipyn, mae'r dystysgrif yn medru bod yn bwysig.

Nid bod angen dilysnod ar waith Mam. Mae e'n unigryw. Fe fedrwn i adnabod ei gwaith hi yn rhywle. Mae e fel gweld gwaith Constable. Pan welwch chi lun gan Constable, fe fyddwch chi'n gwybod ar unwaith mai gwaith Constable yw e.

Beth nesa?

Fe fu danfon y plant i fynd i Lanymddyfri'n benderfyniad anodd iawn. Un peth oedd danfon Ifan yno o dan yr amgylchiadau arbennig hynny, a Gwern hefyd am fod y ddau mor agos o ran oedran. Ond doeddwn i ddim am weld Llywelyn yn mynd yno. Doeddwn i ddim yn teimlo y dylai e fynd yno. Doedd e ddim mor academaidd â'r lleill. Ef hefyd oedd y babi.

Fe wnaethon nhw oll, ers yn blant bach, fod yn rhan o'r busnes. Fe fydden nhw yma o dan fy nhraed yn y siop byth a hefyd. Yma y daeth Ifan wedyn ar ôl astudio yn Rhydychen ac Aberystwyth, lle bu ei dad-cu wrth gwrs yn Athro. Fe wnaeth e ddechre cymryd diddordeb mewn busnes yn ifanc iawn. Roedd yn gwneud gemwaith gyda mi bob gwyliau ysgol ac am flwyddyn cyn mynd i'r coleg. Pan ddaeth yn ôl gyntaf roedd yn sôn am gau'r siop i ffocysu ar wneud gemwaith a gwerthu drwy'r post, ac efallai i dyfu yn fwy o ffatri na gweithdy. Doeddwn i ddim eisiau gweld hynny'n digwydd. Fe fyddai hynny'n golygu na fyddai gen i unrhyw reolaeth wedyn dros yr hyn a gâi ei gynhyrchu. Fe gafodd y syniad ei drafod, ond yn y pen draw mi wnaethon ni dyfu mewn ffordd arall, a dros y ddeng mlynedd nesaf mi wnaethon ni ddatblygu gwefan a chatalog a gwerthu lot mwy drwy'r post. Wedyn mi wnaethon ni ddatblygu'r siop nes bod e llawer iawn yn fwy, ac yn cynnwys orielau a chaffi. Ifan oedd yn rheoli'r busnes, ond fi oedd yn penderfynu i ba gyfeiriad oedd e'n mynd. Erbyn hyn mae Ifan wedi rhoi'r gorau i fod yn gyfarwyddwr y busnes. Mae'n gweithio yng Nghaerdydd i Fwrdd yr Iaith Gymraeg, lle mae e'n arwain gwaith y Bwrdd gyda'r sector preifat.

Fe fu'r pedwar, ar hyd y blynyddoedd yn rhan bwysig o'r cwmni. Drwy ei dyddiau ysgol a choleg fe fu Geinor yn

Symbolau o orffennol Tregaron ar y sgwâr – Henry Richard a
Twm Siôn Cati. Beth am y dyfodol?

gweithio yma. Mae hi erbyn hyn y gyfarwyddwraig, ac mae Gwern a Llywelyn hefyd yn gyfarwyddwyr. Mae Gwern a Llywelyn yn gwahaniaethu'n fawr iawn o ran cymeriad ac o ran eu hagwedd at y busnes. Mae Llywelyn yn weithgar iawn ac yn gwbl ddibynadwy. Gan Gwern y mae'r syniadau a'r sbarc. Syniadau braidd yn wirion weithiau, mae'n wir. Ond syniadau, serch hynny. Ond dyna fe, rwy i wedi gwneud pethe digon gwirion o bryd i'w gilydd. Mae ynddo fe ryw fath o weledigaeth o ran busnes. Dyn syniadau yw Gwern, ond does ganddo fe ddim llawer o ddiddordeb mewn gweithredu'r syniadau hynny. Hwyrach fod Gwern yn dilyn ei dad a Llywelyn yn fwy ymarferol, gan fy nilyn i. Mae'r ddau'n gyfuniad da. Fel yna'n union y byddai Dafydd a finne'n gweithio, Dafydd yn cael gweledigaeth a finne'n ei gweithredu. Ond mae'n rhaid cael cytundeb, ac fe all hynny fod yn broblem gyda phlant. Fe fyddai Ifan a finne'n dadlau'n frwd yn aml am rai o'm syniadau i.

Beth am y dyfodol, felly? Fe fydd yn rhaid i fi ymddeol rywbryd. Fedra'i ddim gweithio am byth. Ac os nad yw'r plant am gadw'r cwmni i fynd, yn y pen draw fe fydd yn rhaid dewis rhwng gwerthu a chau lawr. Fe fyddai'n drist i fi, ac i Dregaron i weld diwedd ar fenter sy'n golygu cymaint i fi. Ond beth bynnag fydd y penderfyniad, fydd dim rhaid i fi'n bersonol roi'r gorau i greu celfwaith.

Mae pobol, o ddod yma'r tro cyntaf, yn dod nôl byth a hefyd. Fe fyddai'n well gen i weld y busnes yn parhau fel y mae yn ein dwylo ni. Ond mae'n fusnes da, a petai rhywun arall yn ei fabwysiadu, fe wnai ddilyn llwybr gwahanol, siŵr o fod. Ond o leiaf, fe fydde fe'n dal i fod yma.

Ar hyn o bryd mae'r cyfan, fel y gigfran honno, yn yr awyr.

Gemwaith gwreiddiol yn siop Rhiannon

Marchnata gemwaith Rhiannon ar faes yr Eisteddfod

Byw
Busnes

Gari Wyn

Sylw ar fusnes a bywyd, gyrfa a gwaith

BYW BUSNES
Gari Wyn
Sylw ar fusnes a bywyd, gyrfa a gwaith
200 tud; £7.50
Gwasg Carreg Gwalch

Y Gwalch, yr Inc a'r Bocsys

Myrddin ap Dafydd
Gwasg Carreg Gwalch 1980-2010

"Mi rydw i wedi bod yn lwcus iawn –
mi lwyddais i droi fy niddordeb yn fara menyn ..."

SYNIAD DA: y bobl, y busnes – a byw breuddwyd
Y GWALCH, YR INC A'R BOCSYS
Myrddin ap Dafydd, Gwasg Carreg Gwalch 1980-2010
104 tud; £4.75
Gwasg Carreg Gwalch

Busnes ar y Buarth

Gareth a Falmai Roberts
Llaeth y Llan 1985-2010

"Bob tro y bydd bygythiad yn dod drwy
lidiart y fferm, bydd cyfle yn dod gydag o ..."

SYNIAD DA: y bobl, y busnes – a byw breuddwyd
BUSNES AR Y BUARTH
Gareth a Falmai Roberts, Llaeth y Llan 1985-2010
100 tud; £4.75
Gwasg Carreg Gwalch